ISBN 978-0-484-93786-3
PIBN 10335770

1 MONTH OF
FREE
READING

at
www.ForgottenBooks.com

By purchasing this book you are eligible for one month membership to ForgottenBooks.com, giving you unlimited access to our entire collection of over 1,000,000 titles via our web site and mobile apps.

To claim your free month visit:
www.forgottenbooks.com/free335770

English
Français
Deutsche
Italiano
Español
Português

www.forgottenbooks.com

Mythology Photography **Fiction**
Fishing Christianity **Art** Cooking
Essays Buddhism Freemasonry
Medicine **Biology** Music **Ancient**
Egypt Evolution Carpentry Physics
Dance Geology **Mathematics** Fitness
Shakespeare **Folklore** Yoga Marketing
Confidence Immortality Biographies
Poetry **Psychology** Witchcraft
Electronics Chemistry History **Law**
Accounting **Philosophy** Anthropology
Alchemy Drama Quantum Mechanics
Atheism Sexual Health **Ancient History**
Entrepreneurship Languages Sport
Paleontology Needlework Islam
Metaphysics Investment Archaeology
Parenting Statistics Criminology
Motivational

MODERNSTES CHRISTENTUM UND MODERNE RELIGIONSPSYCHOLOGIE.

ZWEI AKADEMISCHE ARBEITEN

VON

KARL BRAIG,

DOKTOR DER PHILOSOPHIE UND DER THEOLOGIE,
PROFESSOR DER DOGMATIK AN DER UNIVERSITÄT FREIBURG I. BR.

ZWEITE AUSGABE.

FREIBURG IM BREISGAU.
HERDERSCHE VERLAGSHANDLUNG.
1907.
BERLIN, KARLSRUHE, MÜNCHEN, STRASSBURG, WIEN UND ST LOUIS, MO.

C. A. Wagners Hof- und Universitätsbuchdruckerei in Freiburg i. Br.

Inhaltsübersicht.

DAS DOGMA DES
JÜNGSTEN CHRISTENTUMS.

———

REDE, GEHALTEN BEI DER ÖFFENTLICHEN FEIER DER ÜBER-
NAHME DES PROREKTORATS DER UNIVERSITÄT FREIBURG I. BR.
AM 15. MAI 1907.

Ἐποίησεν ἐξ ἑνὸς πᾶν ἔθνος ἀνθρώπων κατοικεῖν ἐπὶ παντὸς προσώπου τῆς γῆς, ὁρίσας προστεταγμένους καιροὺς καὶ τὰς ὁροθεσίας τῆς κατοικίας αὐτῶν, ζητεῖν τὸν θεόν, εἰ ἄραγε ψηλαφήσειαν αὐτὸν καὶ εὕροιεν, καίγε οὐ μακρὰν ἀπὸ ἑνὸς ἑκάστου ἡμῶν ὑπάρχοντα. ἐν αὐτῷ γὰρ ζῶμεν καὶ κινούμεθα καὶ ἐσμέν, ὡς καί τινες τῶν καθ’ ὑμᾶς ποιητῶν εἰρήκασιν· „τοῦ γὰρ καὶ γένος ἐσμέν’ . . . οὗτος, Ἰησοῦς Χριστός, ἐστιν ὁ λίθος ὁ ἐξουθενηθεὶς ὑφ’ ὑμῶν τῶν οἰκοδόμων, ὁ γενόμενος εἰς κεφαλὴν γωνίας. καὶ οὐκ ἔστιν ἐν ἄλλῳ οὐδενὶ ἡ σωτηρία· οὐδὲ γὰρ ὄνομά ἐστιν ἕτερον ὑπὸ τὸν οὐρανὸν τὸ δεδομένον ἐν ἀνθρώποις, ἐν ᾧ δεῖ σωθῆναι ἡμᾶς.

Act 17, 26—28; 4, 11 12. Cf. Phil 2, 6—11.

Am letzten Tage des Jahres 1872 hat der Schwabe D a v i d F r i e d r i c h S t r a u ß die letzte Hand an seine letzte Schrift gelegt. Es war das nicht sehr umfängliche Buch ‚Der alte und der neue Glaube‘. Mit der Schrift wollte der Verfasser die Summe seiner Welt- und Lebensanschauungen ziehen. Ein „Bekenntnis" sollte es sein, was „der alte literarische Kriegsmann" am Schlusse seiner Laufbahn der breiten Öffentlichkeit vorlegte, der Erweis ungeschminkter Redlichkeit, selbst auf die Gefahr hin, daß der Kritiker der Evangelien sich „dem Kreuzfeuer der Orthodoxen und der Fortschrittstheologen, der Konservativen und der Sozialdemokraten" aussetzen müßte[1].

Was war es, das David Strauß, stark vor einem Menschenalter, seinen Gegnern und den offenen sowie den stillen Genossen seiner Gedanken zu sagen hatte? Welches war die Seele der Offenbarung, die, eine neue, siegende Weisheit, nach der Meinung ihres Vertreters und

---

[1] D a v i d F r i e d r i c h S t r a u ß, geb. 27. Januar 1808 zu Ludwigsburg in Württemberg, gest. daselbst 1874, hat den neuen Auflagen seiner Schrift „Der alte und der neue Glaube. Ein Bekenntnis" ein „Nachwort als Vorwort" folgen lassen. Am Schlusse steht: „Beendigt am letzten Tage des Jahres 1872." Vgl. aus den zahllosen Urteilen über Strauß die „Betrachtungen und Bekenntnisse" in G u s t a v R ü m e l i n s „Reden und Aufsätzen" I (Freiburg und Tübingen 1875) 395 ff 405 ff 430 ff unter den Überschriften: Strauß; Wider den neuen Glauben; Wider die Formeln des alten Glaubens.

seiner Anhänger berufen sein sollte, den alten Christenglauben, den Christusglauben der alten Kirchen abzulösen?

In zwei Sätzen ist das Bekenntnis zusammengefaßt, das Strauß nicht bloß als seine persönliche Ansicht, sondern als die Überzeugung Tausender ausgab, ob diese noch äußerlich den protestantischen Kirchen oder auch der katholischen Kirche zugerechnet werden mochten. Der erste Satz lautet: „Wir sind keine Christen mehr" — wir müssen, so wir als ehrliche, aufrichtige Menschen sprechen wollen, offen einräumen, daß die Grundlehren des Apostolischen Symbols und seine Verheißungen in den Tiefen unseres Inneren keinen Widerhall mehr wecken. Dem antichristlichen wird ein antitheistisches Dogma beigefügt: Frömmigkeit im Stile des alten Glaubens, dessen beide Angelpunkte die Vorstellung von dem persönlichen Gott und die Hoffnung auf ein Fortleben nach dem Tode sind, besitzen wir, besitzen die denkenden Menschen der modernen Zeit nicht mehr.

Strauß versichert indessen mit Nachdruck: Ist auch der Glaube, die Frömmigkeit der alten Christen nicht mehr die Überzeugung, nicht mehr die Übung des neuen Geschlechtes — religionslos oder gar irreligiös sind wir deshalb doch nicht. Das können wir als empfindende Wesen nicht sein. Religiös sein, Religion haben bedeutet für jeden Menschen: Ergriffensein von dem Gefühle schlechthiniger Abhängigkeit einerseits und Getragensein von dem Gefühle reiner, freier Selbständigkeit anderseits. Abhängig ist der Mensch, fühlt er sich vom All der Dinge, dem Ozean des Unendlichen, aus dem jede Welle des Seins hervorbricht und wohin sie wieder zurückflutet. Selbständig ist der Mensch, frei fühlt er sich unter dreifachem Gesichtspunkte. Indem wir das Wesen und die Gesetze der Natur ergründen, unterwerfen wir sie der Macht unserer Erkenntnis; indem wir, vom Wissen geleitet, Kulturarbeit üben, herrschen wir über die Reiche des Seins durch unsere Tatkraft; indem wir uns der Ordnung der Dinge, die der Urgrund alles Wahren und Guten, Schönen und Erhabenen ist, selbstbewußt und willig eingliedern, werten wir uns als die Wesen, in denen die Allvernunft persönlich, ihrer selbst mächtig geworden ist. „So fühlen wir uns demjenigen, wovon wir uns abhängig finden, zugleich im Innersten verwandt: wir finden uns in der Abhängigkeit zugleich frei; in unserem Gefühle für das Universum mischt sich Stolz mit Demut, Freudigkeit mit Ergebung."[1] Das aber

---

[1] Strauß, Der alte und der neue Glaube (8. Stereotypauflage 1875) 145.

heißt vernünftig, gut und fromm sein; das heißt Religion, die Religion haben. — Heute leugnet kein Unterrichteter mehr, daß David Friedrich Strauß, der, wie ein schwäbischer Schriftsteller und Staatsmann ein Jahr nach dem Hingange des Kritikers gesagt, als Philosoph und Theolog das Volk aus dem Ägypterlande hat führen wollen, mit seinen antichristlichen und antitheistischen Dogmen in der Sandwüste verirrt ist[1]. Sowohl die naturwissenschaftlich-philosophische Konstruktion Straußens, der die Hypothesen des Darwinismus, in materialistische Flachheit gezogen, für das letzte Wort zur Lösung der Welträtsel gehalten, als die geschichtlich-theologische Konstruktion, wonach die Literatur des Urchristentums eine Sammlung von absichtslos erdichteten Sagen und von absichtlichen Erfindungen sein soll: beides ist in seiner völligen Haltlosigkeit erkannt. Die besonnene Kritik hat in der Gegenwart, was frühere Jahrhunderte öfter schon gesehen, wieder gezeigt: sie hat den Beweis erbracht, daß die freie Forschung, welche die kirchliche Überlieferung über den geschichtlichen Charakter und Wert der heiligen Bücher an den entscheidenden Stellen unglaubwürdig finden wollte, in den wesentlichen Stücken selbst unzuverlässig ist[2].

Die sich in der jüngsten Gegenwart streiten um die tiefste Frage der Religions- und der Kulturgeschichte, um die Frage nach dem Sinn und Kerne des Christentums — die Streitfrage ist uralt und wird nicht sterben[3] —, die heutigen Bekämpfer des ursprünglichen Christusglaubens haben aber doch einen Gedanken bei David Strauß zur Losung umgebildet. Wir müssen uns zur Einsicht nötigen, sagt Strauß[4], daß die neue Weltanschauung aus den Aufschlüssen stammt, die durch die bessere Erkenntnis des Menschenwesens geliefert worden, nicht aus einer vermeintlichen übermenschlichen Offenbarung; in unserem eigenen Inneren, nicht in Gesetzen aus dem Jenseits haben wir die festen Anhaltspunkte für unsere sittliche Führung. Diese Vorstellung wird nun so gewendet: Die Religiosität ist ein Wesensstück der Menschennatur, und aus ihrer

---

[1] Gustav Rümelin, Reden und Aufsätze I 395.

[2] Vgl. u. v. a. Adolf Harnack, Das Wesen des Christentums (4. Auflage 1901), wo S. 14 gesagt ist, daß die Geschichtlichkeit wenigstens der drei ersten Evangelien gegen Strauß „in großem Umfange wiederherzustellen" der „historisch-kritischen Arbeit zweier Generationen" gelungen sei.

[3] Lk 2, 34: οὗτος κεῖται . . . εἰς σημεῖον ἀντιλεγόμενον.

[4] Der alte und der neue Glaube 406 (Nachwort).

Offenbarung entspringen alle Religionsformen; was aber durch die richtige Offenbarung des Menschenwesens kundgegeben wird, ist dem Sinn und Gehalte nach dasselbe, was das Christentum auf eine Gottesoffenbarung zurückführt. Darum haben wir uns heute nicht wie Strauß auszudrücken: Wir besitzen Religion, aber wir sind keine Christen mehr. Es ist genauer zu sagen: Wenn und soweit wir wahrhaft religiös sind, sind wir wahrhaftige Christen; denn das rechte Christentum ist die Stimme der echten Menschennatur.

Es wäre somit künftighin nicht mehr zu unterscheiden zwischen dem alten Glauben des Christentums und dem neuen Glauben, der auf den Voraussetzungen einer christusfeindlichen Wissenschaft ruhen will. Es soll der andere Gegensatz zu bilden sein: Altes, getrübtes und neues, reines Christentum; Christentum, das eine von den vergänglichen Hüllen der Religion war, und Christentum, in dem sich die lautere, unvergängliche Wesenheit der Religion darstellt.

Welches nun ist das Dogma des jüngsten Christentums? So läßt sich kurz die neue Fassung bezeichnen, die Sinn und Gehalt des alten Christenglaubens und damit das Wesen der Religion herausgestellt haben will.

Die Frage ist für jedermann, mag er einer Konfession angehören, welcher er will, von großer Bedeutung. Das logische Gewissen ist unzerstörbar wie das sittliche Gewissen. Mit Lessing ist zu bekennen, daß ein Glaube nicht deshalb wird wahr sein müssen, weil der Zufall der Geburt einen Menschen gerade diesen Glauben hat erben lassen[1]. So mir gezeigt wäre, daß mein Glaube, daß ein Stück meines Glaubens unhaltbar ist, dann müßte ich das Falsche gegen die erkannte Wahrheit darangeben, selbst wenn die Tropfen meines Herzblutes an den Erinnerungen aus dem Vaterhause haften blieben. Im Streite der Geister aber, im Kampf um die Erkenntnis gibt es keine Besiegten; denn wer unterliegt, verliert nur seinen Irrtum und wird dafür der siegreichen Wahrheit des Überwinders teilhaftig.

---

[1]
... Ein weiser Mann bleibt da
Nicht stehen, wo der Zufall der Geburt
Ihn hingeworfen; oder, wenn er bleibt,
Bleibt er aus Einsicht, Gründen, Wahl des Bessern.
Nathan der Weise III, Szene 5.

1.

Es ist nicht leicht, den Grundriß des jüngsten Christentums und seines Dogmas zu zeichnen, die religiösen Meinungen jener kurz wiederzugeben, welche die Resultate der modernsten Geschichts- und Welterklärung zu dem, wie sie meinen, unerschütterlichen Fundament ihres Glaubens genommen haben. Die Schwierigkeit rührt nicht gerade davon her, daß eine schon sehr beträchtliche Literatur zu bewältigen ist. Diese liegt in gelehrten und in volkstümlich-erbaulichen Schriften vor [1]. Doch die

---

[1] Eine auch nur in etwa vollständige, systematische Literaturangabe in Bezug auf unser Thema ist hier nicht möglich. Kenntnis vom Neuesten vermitteln die Studien über Die christliche Religion mit Einschluß der israelitisch-jüdischen Religion in dem Werke: Die Kultur der Gegenwart, ihre Entwicklung und ihre Ziele, herausg. von Paul Hinneberg, 2. Tl, 4. Abtlg (1906), namentlich die Aufsätze und Nachweise von Ernst Troeltsch (Protestantisches Christentum und Kirche in der Neuzeit ebd. 253—458; Wesen der Religion und der Religionswissenschaft 461 bis 491); Wilhelm Herrmann (Christlich-protestantische Dogmatik 583—632); Reinhold Seeberg (Christlich-protestantische Ethik 633—677); Heinrich Julius Holtzmann (Die Zukunftsaufgaben der Religion und der Religionswissenschaft 709—729). Andere Sammelwerke sind: Beiträge zur Weiterentwicklung der christlichen Religion, herausg. von Deißmann, Dorner, Eucken, Gunkel, Herrmann, Meyer, Rein, Schroeder, Traub, Wobbermin (München, Lehmann); Religionsgeschichtliche Volksbücher für die deutsche christliche Gegenwart, herausg. von Fr. Michael Schiele-Marburg (seit 1905 fünf Reihen); Lebensfragen, Schriften und Reden, herausg. von H. Weinel (seit 1905). Sonst ist von populärer Literatur zu nennen: (ältere) Beiträge in der Sammlung gemeinverständlicher wissenschaftlicher Vorträge, begründet von R. Virchow und Fr. v. Holtzendorff; Sammlung gemeinverständlicher Vorträge und Schriften aus dem Gebiet der Theologie und Religionsgeschichte (Tübingen, Mohr, seit 1896). Auch die Schriften des Amerikaners Francis G. Peabody: Jesus Christus und der christliche Charakter (Vorlesungen in Berlin 1905/06); Die Religion eines Gebildeten (1905); Der Charakter Jesu Christi (1905); Jesus Christus und die soziale Frage (1903), mögen angeführt sein. Im übrigen sind die kirchen-, dogmen-, religions-, kulturgeschichtlichen Arbeiten zu vergleichen. Viel Aktuelles, der periodischen Tagesliteratur entnommen, hat Georges Goyau, L'Allemagne Religieuse. I. Le Protestantisme (erstmals 1898); II. Le Catholicisme (Bd. I umfaßt die Zeit 1800 bis 1848; Bd. II von da bis zur Gegenwart); deutsch seit 1906 (Benziger). Von monographischen Behandlungen seien aus der Masse herausgegriffen: Moriz Carriere, Jesus Christus und die Wissenschaft der Gegenwart (2. Auflage 1889); A. Notas, Ausgesprochene Gedanken vieler Millionen über die Unhaltbarkeit des christlichen Bekenntnisses in seiner jetzigen Gestalt (2. Auflage 1891); J. Réville, Modernes Christentum (frz. Original 1902, deutsch 1904); E. Platzhoff-Lejeune, Religion gegen Theologie und Kirche, Notruf eines Weltkindes (1905, mit einigen Literaturangaben S. 10 ff); W. von Schnehen, Der moderne Jesuskultus (2. Auflage 1907; ganz auf dem Standpunkt von Ed. Hartmann: „Das Christentum des Neuen Testamentes"); R.W.Schmiedel, Die Person Jesu im Streite der Meinungen der Gegenwart (1906, verweist auf Weinels „schönes Buch": Jesus im 19. Jahrhundert). Extrem modern ist Friedrich Daab, Jesus von Nazareth, wie wir ihn heute sehen (1907). — Als Beispiele, die für die

Gedanken, die hier entwickelt sind, stehen knapp beisammen; ihr Begriffs-kreis ist leicht zu überschauen. Die Schwierigkeit, die Begriffe scharf heraus-zustellen, hängt daran, daß die freigerichteten Schriftsteller ihre Anschau-ungen anders als in einer nach allen Seiten hin gewendeten Kritik und Po-lemik fast nicht vorzuführen wissen. Die Männer — sie hören die Partei-namen der Liberalen und Negativen, auch der Vermittlungstheologen nicht gerne — haben sich mit den Positiven und Konservativen, mit den Gläu-bigen des Supranaturalismus, Pietismus, Rationalismus, Psychologismus, neuestens des Symbolismus in bald theistischer, bald deistischer, bald monistischer Fassung, beständig auseinanderzusetzen. Wir brauchen bei den Schlagworten nicht zu verweilen; dessen sind wir froh. Aber eines Umstandes dürfen wir nicht vergessen.

Die Unfaßlichkeit des jüngsten religiösen Dogmas ist durch eine prinzipielle Unklarheit verschuldet. Zwar ist es in den Kreisen der Modernen eine Überzeugung, die keiner näheren Begründung mehr bedürftig sei, daß in dem endlich entdeckten Christentum, worin sich das Wesen der Religion ausspricht, der Samenkeim des Urchristentums zum Vorschein kommt. Allein, wie die Keimbegriffe geformt sind oder zu formen sind, das ist eine sehr strittige Frage. Werden doch die Anfänge

theologischen Ansichten eine breitere philosophische Basis suchen, seien, außer den Arbeiten des Deutschen Rudolf Eucken, die Werke des Franzosen Auguste Sabatier (Esquisse d'une philosophie de la religion, 8me éd; Les religions d'autorité et la religion de l'esprit, 3me éd.) und das Buch des Amerikaners W. James, The varieties of religious experience (1906), angemerkt.

Wie sich das neueste Christentum in der schönen Literatur ausnimmt, zeigt, außer dem Russen Tolstoi (vgl. St. Gastrow, Tolstoi und sein Evangelium) und dem Österreicher Rosegger, der vielgelesene Roman des norddeutschen Predigers a. D. Gustav Frenssen „Hilligenlei" (mehr denn hundert Tausende von Exemplaren; Vorakkorde dazu in des-selben Verfassers „Jörn Uhl"). Von Wissenschaft läßt das dem Buch eingefügte „Leben Jesu" trotz der Berufung des Autors auf H. Holtzmann, Jülicher, Wernle, Weinel, Wrede, Grimm, Otto, Meyer, O. Holtzmann, Traub, Bousset, P. W. Schmidt, Harnack, v. Soden, Hollmann, Troeltsch nichts spüren. Der Entwurf steht tief unter Ernest Renans „Leben Jesu", dies auch nur als „Dichtung" genommen. — Einen Extrakt der modern-christlichen, d. i. antichristlichen Anschauungen über das Wesen der Religion gibt, vom Standpunkt eines geläuterten Hegelianismus aus, Friedrich Theodor Vischer in den Aphorismen seines Reiseromans „Auch Einer" (erstmals 1878; 33. Auflage 1906). Da-nach ist das Christentum — dessen Kern freilich hart am Ursprunge schon mit Mythologie (Engel, Teufel, Königsmessias, Gottessohn, Opfertod, Auferstehung, Wunder, Maria „Göttin") umhängt worden — „Religion der Herzlichkeit: der Stifter war ein Mensch freien, wohlwollenden, lichthellen Gemütes, will uns sanft, liebevoll, verzeihend, gut — Bergpredigt himmlischen Geistes voll; dazu ist gekommen oder daraus hat sich ent-wickelt die richtende Einkehr des Menschen in sich selbst, wie keine frühere Religion sie hatte, Geist der sittlichen Selbstkritik . . ." (II 396 ff).

des christlichen Gedankens nicht bloß weit hinter die Lehranschauungen der synoptischen Evangelienschriften, weit hinter die Glaubensmeinungen auch eines Paulus und des Verfassers des Johannesevangeliums zurückverlegt! Es wird sogar versichert, daß die religiöse Grundwahrheit selbst von Jesus Christus mehr nur genial geahnt als klar erfaßt worden. Somit wäre das „Christentum Christi" zwar die wertvollste Form, aber doch nicht die Ur- und Wesensform des Christentums. Von dieser, der zeitlosen Menschheitsreligion, sei vielmehr eine authentische Fassung nicht bekannt.

Nun wird nicht zugegeben, daß die Konstruktion des christlichen Grunddogmas, wie die modernsten Gelehrten sie versuchen, gleich im Anfange vor einem Vakuum steht, welches das ganze Unternehmen aussichtslos macht. Nein, die Sache wird umgedreht. Die nach scharfen und deutlichen Begriffen verlangen, erhalten die Versicherung, daß sie in den Vorurteilen des alten Intellektualismus und Dogmatismus befangen seien. Und darum sind sie, wird den Anhängern eines formelhaften Konservativismus gesagt, nicht in der Lage, die Entdeckungen der jüngsten Religionswissenschaft in ihrer Tiefe zu verstehen [1]. Denn das Wesen der Religion, also das

----

[1] Adolf Harnack z. B. (Grundriß der Dogmengeschichte[4] 7) meint, der Katholizismus sei zu einer „kritischen Darstellung" der Dogmengeschichte „überhaupt nicht befähigt", und auch die protestantischen Kirchen seien bis zum 18. Jahrhundert „konfessionell befangen geblieben"; darum beginne die Geschichte der Dogmengeschichte erst im 18. Jahrhundert mit Mosheim, Walch, Ernesti, Lessing und Semler. Der Gelehrte verwechselt hier seine Auffassung von „kritischer" Darstellung mit wissenschaftlicher Behandlung eines Gegenstandes schlechtweg. Andere gehen noch weiter. Sie sprechen den „Konservativen" aller Richtungen das Verständnis nicht bloß für die „kritische Methode", sondern auch für die Tragweite der wissenschaftlichen Probleme ab. Wie es mit der „Tiefe" namentlich der Gelehrten, nach deren Methoden alles durch „Entwicklung" (wessen und woraus?) entsteht, nicht Seiendes sich entwickelt, bestellt ist, dafür nur ein erlebtes Beispiel!

Jahrelang verkehrte Verf. freundschaftlich mit einem Herrn, der, ein Studiengenosse von David Strauß, sich seiner Bekanntschaft mit den Bestrebungen und Resultaten des ehemaligen Schulkameraden zu rühmen pflegte. Als größte Tat des „großen Kritikers" erschien dem liebenswürdigen Mann, einem Nichttheologen, die Besiegung des „alten Glaubens" auf dem Punkt, daß man doch kein Vernünftiger mehr für eine „Wolkenburg" halten könne, deren Torflügel sich nach dem Einzug des Auferstandenen vor den Augen der Jünger wieder geschlossen hätten. Ob dem Bewunderer von Strauß dessen nicht originales, aber „unendlich tiefes" Wort: Als für die Astronomie der Neuzeit die Welt sich in eine Unendlichkeit von Weltkörpern und der Himmel sich in einen optischen Schein auflöste, „da erst trat an den alten persönlichen Gott gleichsam die Wohnungsnot heran" (Der alte und der neue Glaube 109) — vor der Erinnerung hin- und herging, ließ sich nicht ausmachen. Auf die Bemerkung hin, daß kein Bübchen, das den christlichen Katechismus gelernt, die Himmelfahrt des Herrn als Einzug in ein

Christentum in seinem innersten Kerne, soll nur mit der Glut der Begeisterung für das Unendliche, durch bewunderndes, liebendes, ent-
zücktes Sichversenken in das Unerforschliche, durch das Erleben des Un-
ergründlichen und Unaussprechbaren zu erfassen, niemals aber aus Dogmen,
Symbolen, Bekenntnisformeln zu erraten sein. Auch auf religiösem Gebiete sollen darum die Schöpfungen der Kunst, zumal der redenden
Kunst und der Musik, dem Andachtsvollen die tiefsten Offenbarungen
vermitteln. Hier nämlich spreche die geheimnisvolle Einheit, aus Denken,
Gefühl und Phantasie bestehend, unmittelbar an den lebendigen Sinn, an
das aufgeschlossene Gemüt aller empfänglichen Naturen.

David Strauß hat Lessings Gedicht „Nathan der Weise" für das
„heilige Grundbuch" des neuen Glaubens, der Religion der Humanität
und Sittlichkeit erklärt, wenn doch jede Religion herkömmlich ihre Bibel
haben müsse[1]. Nach dem namhaftesten Ästhetiker aus Hegels Schule,
nach Friedrich Theodor Vischer, der vor Jahrzehnten schon die
Vorstellungen des jüngsten Christentums in geistvollem Ausdrucke vor-
weggenommen hat, bilden Lessings Nathan, Goethes Iphigenie und
Schillers Don Carlos die drei „priesterlichen, hochreligiösen" Zeugnisse
des Aufklärungszeitalters „in der reinsten, geläutertsten Form seiner
Ideen". Und der Mann will fast verzagen ob dem „Menschenvolk", das,
mit solchen Vernunftwerken an der Spitze seiner Dichtung und Bildung,
heute noch nicht weiß, was Religion ist, sie noch in Glaubenssätzen sucht
oder mit ihnen wegwirft[2].

Wir verbieten zuallerletzt die Berufung auf Werke der echten Kunst.
Wir wissen doch, daß einer der größten Männer, welche die Menschheit
ehrt, daß Sankt Paulus, wo er die natürlichen Grundlagen des Christusglaubens erörtert, es nicht verschmäht, griechische Dichter als Zeugen
anzuführen[3]. Aber die Logik wird recht behalten, wenn sie erklärt: Ein
Wort gilt nicht, weil es von Äschylus, Sophokles, Dante, Goethe oder

---

Wolkenschloß mit Zubehör ansehe, wenn das Kind auch, wie die Erwachsenen, für
die Bezeichnung des Unterschiedes zwischen Seinsort und Seinsart nur das Hüben
und Drüben, das Diesseits und Jenseits habe — bedauerte der Anhänger von David
Strauß und der „doch eigentlich ganz selbstverständlichen" modernen Entwicklungslehre,
sehen zu müssen, wie sein Vorurteil über die „massiven Glaubensvorstellungen der Orthodoxen und der Konservativen" in nichts zerrann.
[1] Der alte und der neue Glaube 308.
[2] Auch Einer II 123.
[3] Apg 17, 28. Verweisungen auf die griechische Literatur bei Paulus 1 Kor 15, 33
(Menander) und Tit 1, 12 (Eupimenides).

irgend einem Großen gesprochen worden ist, sondern allein darum und allein insoweit gilt das Wort, weil und inwieweit es erweisbar richtig ist.

Mit der Hindeutung auf die Kunst und Poesie ist die Gedankenmischung gezeichnet, aus der das Dogma des jüngsten Christentums stammt. Das Dogma! Denn trotz aller Abneigung gegen formelhafte Fassungen, trotz aller Vorliebe für die poetischen Ergießungen und Schwebungen, in denen das Geheimnis des Religiösen für das glaubende, fühlende Ahnen des Andächtigen Erfahrung und Erlebnis werden soll, können die modernen Erklärer des Christentums, wollen sie sich verständlich machen, auf begriffliche, „dogmatische" Aussagen eben doch nicht verzichten. Die Gedankenmischung aber, aus der die Aussagen schöpfen, ist der Ideenkreis der klassischen deutschen Dichtung und die Atmosphäre der Romantik. Hiernach erhellt auch, warum die Auseinandersetzungen über Christus und Christentum, welche die dogmen-, bekenntnis- und kirchenfreie Gelehrsamkeit des Tages gibt, so gerne bei der Mystik und bei den heiligen Dichtungen der Vorzeit Anlehen machen.

Skizzieren wir nun das Dogma des jüngsten Christentums, dessen Seinsart und Eigenheit wir zum voraus charakterisieren wollten.

Religion besitzen heißt fromm sein und übersetzt sich dem Menschen wie von selber in gut und gütig sein, in rein und recht sein der Person, in gerecht sein gegen die gesamte Umgebung. Fromm sein bedeutet: sich hingeben an das Unerforschliche, das der Mensch in den Stunden heiligen Erschauerns, seligen Ahnens als den Grund und als das Ziel seines eigenen Daseins fühlt, dessen Hereinwirken in sein Wesen wie in die Naturen seinesgleichen, zuletzt in das Innere aller Dinge, der Mensch spürbar erleben kann. Wollen wir dem Geheimnisse des Unendlichen, in dem wir sind und weben, einen Namen finden, dann muß es das Göttliche, die Gottheit genannt werden. Das große Eine meinen im Grund alle Sprachen, mögen ihre bildlichen Bezeichnungen für das Letzte und Höchste, für das A und O der Dinge sein, welche sie wollen.

Die ungeübte Vorstellungskraft der jugendlichen Menschheit hat das Eigenschaftswort des Göttlichen, womit dem erahnten Unendlichen das denkbar Gewaltigste in jederlei Hinsicht — physisch, intellektuell, ethisch, ästhetisch — beigelegt sein soll, auf die Kräfte und Teile des Kosmos übertragen, deren Segen oder deren verderbenden Fluch der Naturmensch erfuhr. So wurden Götter, Götterordnungen einander gegenübergestellt

und abgestuft nach den Reichen des Seins, nach den dem Menschen förder-
lichen oder schädlichen Lebensäußerungen, die hier sich regen.

Trat der Tod in das Naturwirken, zumal in das Menschenleben
herein, dann wurde die angedeutete Unterscheidung zwischen guten,
gnädigen und bösen Göttern, den Dämonen, die eine Beschwichtigung
und eine Versöhnung fordern, verfestigt. Überdies wurde die Zahl und
der Herrschaftsbereich der Götter erweitert; denn die Seelen der Ab-
geschiedenen, als Hauchgestalten, Schattengebilde, körperlose Schemen
gedacht, wurden den Unsterblichen eingereiht. Liebe und Sehnsucht sowie
Furcht und Schrecken schufen die Geister der Entseelten in Schutz- oder
Drohgottheiten um.

Das alles waren die erst am Boden flatternden Versuche der Einbildungskraft, die sich im Kindesalter des Menschengeschlechtes mühet,
Versinnlichungen für das Unsagbare zu finden. Diese Versinnlichungen
von unschaubaren Gewalten und Gewalthabern, die konkreten Götter
sollten überall die letzten Antworten bereit halten auf die Fragen: Woher
und wohin, wodurch und wozu? Fragen, die aufzuwerfen der erwachende
Mensch in Bezug auf alles um ihn her und auf sich selber durch das
Kausalitätsgesetz seines Herzens und seines Verstandes genötigt wird.

Zur reineren und reinsten Vorstellung erschwingt sich die Einbildungskraft dann, wenn der fromm sinnende Geist des Menschen das
Göttliche die Gottheit nennt, wenn die Vernunft die Gottheit als Gott
anschaut, und wenn Gott als das höchste Wesen und als das höchste
Gut erscheint, von dem alles ist und das alles ordnet.

Verehrt der Mensch Gott als die Eine, persönliche Macht, deren
Wille die Seienden trägt und hegt, die jedem Dinge seinen Ort und
seine Zeit anweist, die allen Wesen das Gesetz ihres Daseins und das
Ziel ihrer Regsamkeit vorschreibt, dann ist die wahre Offenbarung der
wahren Religion zum Durchbruche gekommen. Jetzt kann der Sterbliche
anbeten, und der Staubgeborne betet, indem er in scheuer, heiliger
Ehrfurcht vor dem Schöpfer aller Dinge, vor dem Vater der Menschen,
vor dem Herrn aller Geschicke, vor dem Lenker und Richter alles Lebens
steht, vor dem Immergleichen, der den Sohn der enteilenden Stunden
in den Glanz der Himmel emporblicken und dahinter die Majestät des
Ewigen, die Schauer der Ewigkeit ahnen läßt. Jetzt kann der Mensch
bitten, und der Arme bittet, indem er, der in eine Welt mit verwirrendem
Reichtum an Gaben, mit einer erdrückenden Fülle von Gefahren hinein-

gestellt ist und sich da ratlos, vereinsamt, hilflos fühlt, den Allwaltenden
anfleht um Verleihung des Rechten und um Bewahrung vor dem Übel.
Jetzt weiß der Mensch zu danken, und der Gesättigte dankt für das
Kleinste nicht minder als für das Größte, indem er mit vollem und über-
vollem Herzen vor den Allguten tritt, der den Bedürftigen speist wie die
Vögel des Himmels und kleidet wie die Blumen des Feldes.

Anbetungsopfer, Bitt- und Dankopfer vor dem Unerforschlichen,
der als Herr und Vater waltet, mögen die Opfer in sinnenfälligen oder
in unsinnlichen Formen zum Himmel steigen, sind nicht die Religion
selber, aber sie sind die Lebensregungen der Religion. Ihre geläutertste
Gestalt nehmen die Übungen an im Lob- und Jubellied und im kindlichen Flehgebet, den stillen oder lauten Zeugen dafür, daß das Menschenherz sich selig fühlt in seinem Gott, indem es seiner Ruhe harret voll
gläubigen Hoffens, voll vertrauenden Glaubens. Die Probe aber, daß
die religiöse Gesinnung, die Gottesliebe echt ist in einer Seele, ist der
Erweis gerechter, wohlwollender und wohltuender Nächstenliebe, der Erweis sittlicher Gesinnung gegen alle Mitwesen in der gewissen Überzeugung und mit der Gewissensüberzeugung, daß diese gerade so zum
Urgrunde der Dinge stehen wie ich, der ich in der Gottheit, bei ihr und
durch sie das höchste Gut meines Daseins suche[1].

Scheidet der Philosoph die Gedanken, die bei der Entwicklung des
Wesens der Religion, wie die Modernen sie denken, heraustreten, dann
unterscheidet er das individuelle und das soziale Moment. Jenes wirkt
die Ausbildung der Persönlichkeit; dieses ist gemeinschaftsbildend.

Das religiöse Fühlen, das Ahnen des Unendlichen regt den Menschen als Persönlichkeit an, auf den Grund seiner selbst und alles dessen,
was wirklich ist, zurückzuschauen, sodann nach dem Ziele zu blicken,

---

[1] William James (The Varieties of Religious Experience 485) sieht in aller-
allgemeinster Fassung "the characteristics of the religious life" in "the following beliefs":
"1. That the visible world is part [?] of a more spiritual universe from which it
draws its chief significance;
2. That union or harmonious relation with that higher universe is our true end;
3. That prayer or inner communion with the spirit thereof — be that spirit 'God'
or 'Law' [!] — is a process wherein work is really done, and spiritual energy flows in
and produces effects, psychological or material, within the phenomenal world."
Dazu kommen die folgenden zwei "psychological characteristics" der Religion:
"1. A new zest which adds itself like a gift to life, and takes the form either of
lyrical enchantment or of appeal to earnestness and heroism.
2. An assurance of safety and a temper of peace, and, in relation to others, a
preponderance of loving affections."

das für alle Seienden und durch sie verwirklicht werden soll; denn was existiert, ist durch die Gottheit, und der Enderfolg des Weltlaufes ist durch Gott vorherbestimmt. Sowohl die Verfahrungsweisen, die Gesetze der Dinge, jene des menschlichen Tuns eingeschlossen, als auch die Güter, die durch das Walten der Natur und durch unser Arbeiten erzeugt werden, beruhen ihrer ersten Ursächlichkeit nach auf dem Willen Gottes; nicht sind sie durch ein blindes Ungefähr, nicht sind sie infolge einer unvordenklichen, eisernen Notwendigkeit. Alles hat seinen gewollten Sinn, ist vernünftig in der Form und gut im Inhalte. Der Mensch insbesondere ist keine sinnlose Hervorbringung eines vernunftlosen Etwas, sondern das Geschöpf der ordnenden Weisheit ist er: er darf sich als Kind Gottes fühlen, und handelt er nach dem Glauben, der aus dem Inneren seiner Seele quillt, vollzieht er, geleitet von dem Zuge des Glaubens, die seiner Natur eingeprägten Gesetze, dann vollbringt der Mensch als sittliche Persönlichkeit den Willen Gottes. Dadurch sichert er sich sein Lebensgut.

Das Gut unseres Lebens besteht zunächst in der Auswirkung unserer Persönlichkeit, in der Entfaltung unserer Gaben und Kräfte, in der Wahrung der Würde, deren Adel auf jedes Menschenantlitz gezeichnet ist. Höchstes Gut aber ist es, daß der Mensch, der Gott als Vater lieben kann, zu der Hoffnung berechtigt ist, von der Gottheit wieder geliebt zu sein, daß er sicher sein darf, sein Denken und Ringen, sofern es nach dem vorausgesetzten Willen des Urhebers alles Seins geregelt ist, werde den Erfolgen nach die Billigung des richtenden Geistes haben.

Ist der Mensch von dem Glauben durchdrungen, alles sei wirklich so, wie sein ahnendes Gemüt ihn vertrauen läßt, alsdann besitzt er lebendige Religiosität, hat er Religion als Verfassung seines Wesens. Sie gewährt dem Sterblichen einen Trost, ein Glück, einen Frieden, die über alle Begriffe sind, die kein Erdenschicksal mindern, kein Zweifel in der Unentwirrbarkeit der Daseinsrätsel rauben, kein Unheil, und wär' es durch Schwachheit selbstverschuldet, zerstören kann. Auch der Tod, der Heimgang zum Unendlichen, hat über die religiöse Seele keine Gewalt.

Freilich ist ein Dunkel über die letzten Dinge gebreitet, über die letzten Gründe, wohin niemals ein Strahl des Wissens fällt. Das verschlägt aber nichts, wenn unserer Persönlichkeit nur das erste Gefühl lebendig und licht bleibt: Welt, Weltinhalt, Weltgesetz, Weltgrund mögen in Begriffe gefaßt werden, wie nur immer der suchende und versuchende

Verstand sie bilden und umbilden kann — ich halte fest an der beseligenden Empfindung, daß ich Kind dessen bin, der im Weltregimente sitzt! Allen Zweifelsfragen gegenüber läßt mich ein gottinniges Gemüt die Antwort ahnen, und daraufhin sag' ich mir in freudiger Zuversicht: Die Weltwirklichkeit ist mir nicht Fremde, sondern Heimat, und durchschaut mein Verstand auch nicht den Grund des Geschehens, begreift er nicht sein Wie noch das Warum, es ist für mich doch das Vernünftigste, das Beste, das Beruhigendste, so ich unerschütterlich in dem Glauben bleibe, wie wenn, als ob die unendliche Gottheit mit unendlicher Vaterliebe für alles schon gesorgt, den letzten meiner Seufzer schon vernommen und beschwichtigt hätte.

Stehe ich in diesem Glauben, dann bin ich religiös, und bin ich mit meinem Gott wie mit dem mächtigsten, besten, getreuesten Freund meiner Seele, dann bin ich — mein innerstes Empfinden sagt es mir — dann bin ich gut, sittlich, edel, selig.

Den Glauben meines Herzens kann keine widersprechende Wissenschaft ins Wanken bringen, und er bedarf auch nicht der Stützen, welche die Begriffe einer gefälligen Wissenschaft darbieten möchten. Denn über das Unendliche, das immer das Unerforschliche sein wird, unterrichtet keine Wissenschaft: weder kann die Leugnung beweisen, daß es nicht sei, noch kann die Bejahung in Begriffen zeigen, was sein Wesen und sein Sinnen ist[1].

---

[1] Vgl. Adolf Harnack, Das Wesen des Christentums (Schluß, viel zitiert). In den „Reden und Aufsätzen"[2] II 376 hat Harnack den Aphorismus: „Wenn der Mensch auch nicht mehr das Bedürfnis besitzt, zu glauben, so hat er doch das Bedürfnis bewahrt, so zu fühlen, wie in den Zeiten, da er glaubte. So sagt ein feinsinniger Franzose. Aber tiefer und freudiger bekennt ein Deutscher: Trotz aller Zweifel des Verstandes bleibt die Religion unverrückt in den Herzen der Christen, die ein inneres Gefühl von dem Wahrhaften derselben haben." — Damit ist das Wesen und die Schwäche der französischen Irreligiosität gezeichnet, aber auch das Wesen und die Schwäche der modernen deutschen Religiosität. Der homo irreligiosus besitzt kein Kapital mehr, lebt aber, als ob er ungeschmälerten Reichtumes sich erfreute. Der homo religionis recentioris weiß (wie die Kritik zu zeigen hat) von einem Verstandeskapital des Glaubens auch nichts; ʼer hat aber das „Gefühl", daß er in der besten Lage wäre, wenn es mit dem Kapital, an das er von Herzen gern als an das Herrlichste glauben möchte, seine Richtigkeit hätte. Worauf stützt sich das „innere Gefühl von dem Wahrhaften" der Religion selber, wenn die inhaltliche Wahrheit der Religion, die objektive Berechtigung des Religionsgefühles in Frage steht? Soll die Sache ein — grundloses — Privileg des „deutschen Gemütes", der „deutschen Art" darstellen? Die Ergüsse über ein „deutsches Christentum" und gar über den „deutschen Christus" lassen die seltsamsten Schlüsse und Rückschlüsse zu (vgl. u. v. a. J. Burggraf: „Was nun?" — nach Kalthoffs Tod nämlich — und Alb. Kalthoffs nachgelassene Predigten „Zukunftsideale", jenes

Im bisherigen haben wir das individuelle Moment der Religion, ihr Wirken in der Persönlichkeit und auf die Persönlichkeit des einzelnen Menschen geschildert. Damit aber ist Wesen und Leben der Religion erst unvollständig gezeichnet. Die Darstellung erhält ihre Ergänzung durch den Hinweis der modernen Wissenschaft auf das soziale Moment, auf die Kraft, durch welche die Religion eine Gemeinschaft unter den Menschen stiftet, in dieser und durch sie wirkt.

Der religiöse Mensch hat, wie der natürliche Mensch, das Bedürfnis, mit Seinesgleichen sich zusammenzutun. Voll von Empfindungen und Überzeugungen, die den Frommen aufs höchste beglücken, schließt er sich überall an, wo er seine Gesinnungen wieder findet, schließt er sich freilich auch dort ab, wo gegensätzliche Gesinnungen hervortreten wie die Sinnpflanze bei widriger Berührung in sich selber zurückgeht. Wir können nicht anders: was wir als das Höchste empfunden haben, wär' 'uns dieses Höchste nicht, wenn wir nicht verlangten, daß es allgemein anerkannt werde, und wenn wir dort nicht einen bösen Angriff spürten, wo unsere Vorstellung vom Höchsten bekämpft würde. Verbunden aber mit unserem Gotte, verbinden wir uns in inniger Notwendigkeit mit allen Seelen, deren Gott unser Gott ist. So entsteht die religiöse Gemeinschaft, die Kirche, wie von selber, und es ist mehr als ein bloß natürlicher Brudersinn, was die Glieder einer Kirche aneinander kettet.

Geheimnisvoll werden geeint, die aufrichtige Gottsucher sind. Ihre Gemeinschaft, zunächst ein Bund der Herzen, ist das unsichtbare Gottesreich auf Erden. Sichtbar tritt die Kirche in die Erscheinung, wenn die Gleichgesinnten eine Gemeinde bilden, und wenn sich die gleichgerichteten Gemeinden in großem Verbande zusammenschließen. Das geschieht dadurch, daß für die Aussprache des Überschwenglichen, das jedes Gemüt ahnt, Formeln aufgestellt, daß Dogmata gebildet und diese als Glaubensgebote anerkannt werden, daß sich ihnen die Gleichgestimmten unterwerfen und so der eine den andern im rechten Frommsein zu erbauen, im Gutsein zu fördern sucht. Weiter kommt es zu Institutionen, die den Unterricht in der Religion und den gemeinsamen Gottesdienst regeln, und zu Konstitutionen, wonach die Gemeinde regiert und ihre gesamten religiösen Angelegenheiten verwaltet werden.

1906, diese 1907). Eigentümlich ist, daß sich die moderne Irreligiosität und die moderne Religiosität praktisch völlig gleich verhalten wollen; denn für beide soll das Moralische sich immer von selbst verstehen (vgl. Harnack, Reden und Aufsätze[2] II 154).

Die wichtigste Angelegenheit ist das Dogma. Seine Fassung, so unentbehrlich sie zur gegenseitigen Verständigung der Kirchenglieder ist, kann aber doch niemals ein erschöpfender Ausdruck dessen sein, was das gläubige Gemüt vom Unerforschlichen und von den Geheimnissen seines Wirkens zu erleben vermag. Das Dogma bleibt immer nur ein Symbol, ein sinnbildliches Zeichen, wodurch das Unaussprechbare dem Empfinden des Gläubigen nahegebracht werden soll. Die kirchliche Bekenntnisformel ist ein Mittel, durch das der Bezirk abgegrenzt wird, außerhalb dessen, wer zur Kirche gehören will, eine Befriedigung seiner religiösen Bedürfnisse nicht suchen darf und nicht finden kann. Denn draußen in einer entgeistigten, entgöttlichten Natur, in dem Mechanismus eines vernunftlosen Weltgetriebes ist nichts, was den gottsuchenden Sinn ansprechen, was das Bedürfnis der Andacht stillen könnte. Dagegen sind die Kinder einer Kirche in den Stand gesetzt, mittels des Dogmas sich das auszudeuten, was jeder in der Tiefe seiner von der Gottheit berührten Seele vernehmen kann, somit die eigenen religiösen Erfahrungen an den fremden sich klar und klarer zu machen. Als ein Sinnbild, an welches das religiöse Gemüt dieselben Gefühle knüpfen darf, die dem vorgebildeten geheimnisvollen Inhalte gebühren, ist das Dogma von größtem Werte.

Für die Deutung indessen seiner religiösen Innenerlebnisse kann nur der Mensch selber, nicht seine Kirchengemeinschaft zuständig sein. Denn die Religion ist nun einmal herzeigene Angelegenheit jeder Einzelseele. Der Sinn für die religiösen Werte kann, wie der Sinn für die Schönheit, wohl von außen her angeregt, nicht aber erzeugt werden, und auf jede Anregung antwortet die Religiosität der Seele wieder in durchaus individueller Weise. Daher muß der religiöse Mensch dem Dogma, dem Symbol, der Bekenntnisformel gegenüber unbedingte Freiheit und das Recht behalten, das Dogma jederzeit abzuwerfen, wenn die bessere Überzeugung ihn darauf geführt hat, daß die bisherige Form kein passendes Ausdrucksmittel mehr ist für die religiösen Erlebnisse des Gläubigen.

Nun kann zweierlei statthaben, und beides hat sein Vernunftrecht[1].

---

[1] Obiger Gedanke, der in ansprechender Form besonders von Hermann Lotze ausgeführt worden ist (vgl. das neunte Kapitel über Dogmen und Konfessionen in den „Grundzügen der Religionsphilosophie" [1882] 95 ff), hat keine philosophische Kraft. Es wird ein prinzipieller Widerspruch bleiben, wenn auf der einen Seite die absolute Autonomie, sei es der Vernunft überhaupt oder des religiösen Sinnes, des religiösen Gefühles oder des Gewissens, auf der andern Seite das Recht, auch nur das relative,

Die einzelne Persönlichkeit kann und soll einer kirchlichen Gemeinschaft, dem religiösen Bruderbund angehören, dem Dogma desselben, seinem Glaubensgesetze treu sein und gemeinsam mit den Brüdern dem Vater dienen. Aber die Hingabe an die Vaterhuld des Unendlichen kann der Glaubende so gut pflegen im stillen Kämmerlein wie im Dunkel einer Kathedrale, in welcher der Hauch des Gottesfriedens über die versammelte Gemeinde weht. Fromm sein und nach der echten Frömmigkeit handeln kann der Mensch in der armen Werkstätte wie im Heiligtum der Kunst, bei emsiger Arbeit für sich und für seine Mitwesen wie in der Stille des Hochgebirges oder vor den Wundern des schweigenden Ozeans, im lauten Kampfe wie unter dem Segen des Friedens.

Allüberall läßt sich der Odem des Ewigen atmen, und sein im Zeitlosen, selig sein im Anschauen dessen, was nie und immer, was nirgends und an allen Orten ist, und was darum in keiner unveränderlichen Formel sich aussprechen läßt — so wie der gottbegnadigte Seher die Wahrheit der wandellosen Urgesetze schaut, wenn ihm auch die im Wechsel kreisenden Dinge die Wahrheitsformel nicht durch ein ewiges Wort vermitteln können —: das heißt andächtig sein, in die Gottheit versenkt sein, heißt im Unsterblichen weben mit sterblichem Leibe. In dieser Verfassung ist sich der Mensch, als Erkenntniswesen, des Zweckes seines Daseins bewußt, und, als Wesen der Tat, wirkt er gemäß seinem religiösen Bewußtsein für sich und andere, zeigt er sich sittlich, gut, hilfreich und edel. Das aber allein heißt Religion besitzen und ihres Himmelstrostes froh sein, heißt Gott lieben über alles und in Gott alle Brüder lieben.

Aus den schier unzähligen Wendungen, die sich in kultur-, kirchen-, dogmen-, religionsgeschichtlichen Erörterungen und in philosophisch-theologischen Zusammenfassungen der neueren Literatur finden, haben wir die Vorstellungen ausgehoben, die wohl den idealsten Religionsbegriff der Moderngläubigen zusammensetzen. Nun entsteht die wichtigste Frage: Ist die skizzierte Fassung des Religionsbegriffes das Dogma, das ganze Dogma der positiv christlichen Religion?

irgend einer Autorität behauptet wird. Autonomie der freien Vernunft und Kirchengemeinschaft sind im Grund unausgleichbare Gegensätze. Dabei wird der entscheidende Punkt, nämlich daß es für uns eine Vernunftautonomie, wie die unserem Verstande schlechthin gegebenen mathematischen Wahrheiten und Gesetze unwiderlegbar zeigen, gar nicht gibt, daß die neuere Fassung dieser Annahme ein kantisches Philosophem, lediglich ein Vorurteil der kritischen Schule ist, nicht in den Vordergrund gestellt.

Die Vertreter des modernen Gedankens machen eine scharfe Unterscheidung, und sie antworten dann mit einem entschiedenen Ja. Nicht die Hüllen des Christentums, nicht das, was am Christentum zeitgeschichtlich und vergänglich ist, sondern den unvergänglichen Kern, die zeitlose Wesenheit der christlichen Religion will die jüngste Wissenschaft berücksichtigen und festgehalten wissen, und damit eben behauptet sie, das echte Christentum, das mit der echten Menschheitsreligion eins ist, gegenüber dem alten Glauben zu vertreten.

Ein Historiker, dessen Arbeiten wegen ihres Stoffreichtums und wegen der Gefälligkeit ihrer Form zu den gelesensten gehören, Adolf Harnack, hat die vorgebrachte Unterscheidung in seinen Schriften am häufigsten wiederholt. In dem Buche, das die Mission und Ausbreitung des Christentums während der ersten drei Jahrhunderte schildert[1], wird

---

[1] Mission und Ausbreitung des Christentums I² (1906) 261 ff. — Die Unterscheidung zwischen zeitgeschichtlicher Form und zeitlosem Inhalte der christlichen Religion ist das Thema der bekannten Vorlesungen über das „Wesen des Christentums". Wieder und wieder wird der Lieblingsgedanke (vgl. Mission II 286 f; Schluß), dessen wissenschaftliche Begründung das dreibändige Lehrbuch der Dogmengeschichte³ (1894/97) von Harnack liefern möchte, in den Reden und Aufsätzen³ (1906) gestreift, umschrieben, eingeschärft. „Das Evangelium" schlechthin lautet: „Gott als der Vater, der Richter und Erlöser, durch und an Christus kund geworden" (Mission I 421) — wobei Christus selbst aber weder göttlicher Natur teilhaftig noch göttlicher Handlungen fähig war, Christus, der weder als der „Sohn" Gottes noch als der „Erlöser" in eigentlichem Sinne in sein Evangelium hineingehört. Auch Harnacks jüngste Äußerung über „Protestantismus und Katholizismus in Deutschland" (1907) läßt deutlich das „Dogma des dogmenfreien Christentums" durchschimmern. Der „Christenstand" muß bei den Anhängern aller Kirchen wichtiger werden als der „Konfessionsstand"; die Sorge für die „sittliche Tüchtigkeit" und den „Seelenfrieden" aller Volksgenossen muß den Konfessionen wichtiger sein als jede andere Aufgabe (S. 12 f). Auch in „geistlichen Dingen" ist die „absolute Autorität der Kirche" mit der „Freiheit der Religion" wie mit der gegenwärtigen Erkenntnis- und Bildungsstufe „unverträglich" (S. 18). „Wer den Frieden (unter den Konfessionen) will, muß auf eine freie Entwicklung bedacht sein, die einer höheren Einheit (der Bekenntnisse) zustrebt: die evangelische Kirche steht bereits auf dieser Linie; aber sie muß noch mutiger werden und statt mühsamer Abzüge und Verschleierungen offen erklären, daß das alte Bekenntnis kein Gesetz für sie ist, das sie ertragen muß, sondern ein Gut, das sie in Freiheit benutzt" (S. 29). „Die Religion wird nie ohne Kirchen sein; aber deren Zukunft beruht darauf, daß sie selbst immer mehr Gemeinschaften der Gesinnung und der brüderlichen Hilfeleistung werden, und daß ihre Mitglieder die Einheit im Geiste pflegen, damit die Religion rein und das Vaterland stark und friedevoll werde" (S. 30). Frägt man präzis nach dem Etwas, dem beglückenden X, dessen allseitige Annahme die „Einheit der Gesinnung" usw. schaffen wird; will man eine Vorstellung von der „höheren Einheit" haben, der die Entwicklung der Konfessionen und der Religionen zustreben soll, dann vernimmt man die Worte von der „Empfindung" und „Ahnung" des Gesuchten, von dem „Gefühl" für das Wahrhafte daran, von der „Hoffnung" des „Gemütsglaubens", von dem glückseligen „Erlebnis" und der den Seelenfrieden zeugenden „Erfahrung" dessen, der die Herrlichkeit des Glaubensideales an-

vom Verfasser im Tone der Bewunderung beides hervorgehoben, die Fülle der Beziehungen, womit sich die christliche Religion schon in ihren frühesten Anfängen auf heidenchristlichem Boden darstellt, und die Einfachheit des Ausdruckes, auf den sich alles bringen läßt. Das Christentum ist die Predigt von Gott dem allmächtigen Vater, von seinem Sohn unserem Herrn, von der Auferstehung; es ist das Evangelium vom Heiland und der Heilung, von der Erlösung und der Neuschöpfung, von der „Vergottung" der Kreatur; es ist die Botschaft von der Liebe, vom Erbarmen, von der Hilfeleistung; es ist die Religion des Geistes und der Kraft, des sittlichen Ernstes und der Heiligkeit, der Autorität und des unbedingten Glaubens an ein heiliges Buch, und doch wieder der selbsttätigen Vernunft, die Religion also der dunklen Geheimnisse und der hellen Erkenntnisse; die christliche Predigt ist die Verkündigung von der Entstehung eines ganz neuen Volkes auf Erden, das aber, nach dem Ratschlusse des Himmels, seit dem Anfang der Dinge schon in der Verborgenheit gelebt hat. Und trotzdem daß das Christentum von Parthern, Medern und Elamiten, von Griechen, Römern und Barbaren an sich gezogen hat, was in den Religionen, Sitten, Einrichtungen und Künsten, in den Mythen, Riten und Mysterien der Völker auch nur einen Tropfen von Lebenssaft enthielt — hierdurch hat sich das Christentum zur Weltreligion erhoben, hat es allen übrigen Religionen den Lebensgrund weggenommen, hat seine Philosophie als Kulturmacht die Antike ersetzt —, ist das sieghaft Dauernde der christlichen Religion nur ein Moment, nur ein Element. Es ist der Name Jesus Christus, das Bild seiner Persönlichkeit: es ist das Wort, das erlebte und gelebte Wort des Mannes, daß Gott sein Vater und unser Vater ist.

---

zuschauen vermag, wie wenn es als Wirklichkeit vor ihm stände. Was denn aber es eigentlich ist und im einzelnen besagt, das „Evangelium" von Gott dem Vater, dem Richter und Erlöser, durch und an Christus kund geworden — das bleibt hinter den Worten völlig unklar und unerklärbar. Wer dieses Evangelium in Begriffe fassen will, gleicht dem Manne, der ein Fluidum oder ein reines Gas — das Gefühlschristentum — in Formen zu bringen sucht mit der leeren Hand oder durch den Hauch des Mundes. Was nützt es, wenn Harnack als die zu lösende Aufgabe der „Bekenntnisbildung" hinstellt: „Den alten evangelischen Glauben neu, schlicht und klar in der Sprache der Gegenwart auszusprechen" (Reden und Aufsätze² II 154) — da doch kein Sterblicher zu sagen weiß, was der „alte evangelische Glaube" denn eigentlich ist, der über oder unter den verschiedenen Bekenntnisformen sich bergen soll? Authentisch, verbindlich ist ja keine der Formen, und eine inspirierte Schriftlehre, der der Glaube mit unfehlbarer Sicherheit zu entnehmen wäre, ist, der freien Theologie zufolge, auch nirgends festgelegt.

Alles, was das Christentum an Vorstellungen und Bildern, an heiligen Einrichtungen und frommen Übungen des Kultus, an Dogmen und Sakramenten, an Zeremonien und Mysterien aufweist, alles vom Großen bis zum Kleinen war und ist einer heutigen Geschichtsforschung immerhin wichtig, den Gedanken zu umschreiben, zu versinnlichen, einzuschärfen: Gott und die Seele, der Vatergott und das Gotteskind — unendlicher Wert der menschlichen Persönlichkeit! Dieser Gedanke selbst aber und er allein ist das Bleibende und Wesentliche am Christentum, wie er denn der zeitlose Kern, d i e Religion in den Religionen ist.

Die Einkleidungsformen, alle die Koeffizienten bald wissenschaftlicher bald volkstümlicher Art, mit denen sich der christlich-religiöse Grundgedanke verbinden mochte und verschiedentlich im Wechsel der Zeiten verbunden hat, konnten und können jederzeit wieder abgestreift, gegen andere Mittel und Formeln vertauscht werden. Den Anfang mit einer durchgreifenden Umbildung der alten christlichen Dogmata, so schließt Harnack, hat die Reformation gemacht.

Bei solcher Fassung der religiösen Grunderkenntnis ist die Folgerung des modernen Philosophen eine selbstverständliche Wahrheit: Alle Dogmen und Symbola des Christentums, wenn ihnen für sich eine Bedeutung beigelegt werden will, abgesehen von dem Vater- und Kindesverhältnis, das zwischen Gott und der Menschenseele besteht und das die Lehrformeln dem gläubigen Sinn nahebringen wollen, sind Belastungen des religiösen Gefühls. Losgelöst vom lebendigen Seelenempfinden, nehmen sich die Erzählungen vom Paradies und Sündenfall, von der Sündenvererbung und der Messiassendung, von der wunderbaren Geburt, der Auferstehung und Wiederkunft Jesu, für das „feinere" Verständnis als abergläubisch aus, geradeso wie die heidnisch-jüdischen Sagen von Göttersöhnen, Geistern, Engeln und Teufeln Aberglauben sind.

Was insbesondere das Grunddogma der christlich zubenannten Theologie betrifft, den Glaubenssatz von der Gottheit Jesu Christi, so ist er nach der neuzeitlichen Anschauung, wenn der Satz buchstäblich verstanden wird, für das religiöse Leben und Erleben bedeutungslos, „da Christus im eigentlichen Sinne nun doch einmal Gottes Sohn nicht sein kann" dem „Empfinden" der modernen Welt zufolge[1]. Eine derartige Vorstellung soll heute ebenso sinnwidrig erscheinen als die Vorstellung von dem drei-

---

[1] Hermann Lotze, Grundzüge der Religionsphilosophie 100.

persönlichen Gott, von dem Erschaffen der Urmaterie aus dem Nichts, von der vaterlosen Entstehung eines Menschenkindes, von dem Sühne- leiden eines Gottes zu Gunsten der sündigen Menschheit, von der persön- lichen Unsterblichkeit nach der Auferstehung der individuellen Leiber, von dem Wunder als einer Durchbrechung der Naturgesetze u. v. a.

Dagegen, wird eingeräumt, ist der bildliche Ausdruck von Jesus Christus dem „Gottessohne" voll religiösen Tiefsinnes; denn das Bild will den Gedanken andeuten, daß die Gottheit in einzelnen Augenblicken der Weltgeschichte und in einzelnen Personen der Menschheit näher gestan- den, ihr sich in erhabenerer Weise geoffenbart haben mag als in andern, und daß Christi Erscheinen ein wenn auch nicht genau bestimmbarer, so doch ein wirklicher und mit nichts vergleichbarer Wert für die Menschheit und für ihr Verhältnis zu Gott sei.

Worin besteht den Neueren der Wert, den Jesu Wort, Person und Leben für die Religion und die Bildung der Menschheit darstellt? Läßt sich diese Frage doch in etwa beantworten, dann ergeben die Teile der Antwort das Dogma des jüngsten Christentums im engeren Sinn. Und mit der Antwort hätte die Wissenschaft den Anfang gefunden, um das wichtigste Problem der gesamten Religionsgeschichte, die Frage nach der Stellung des Christentums in ihr, aufzulösen. Ist das Christentum von absoluter Bedeutung für die Entwicklung der Menschheit? Oder steht die christliche Religion einfach neben den übrigen Erweisen der natürlichen Religiosität? Ist die durch Christus gekommene Offenbarung im wesentlichen nichts Neues, wenn sie vielleicht auch den höchsten Grad einnimmt, den die Entfaltung der religiösen Anlage in unserem Ge- schlechte bisher erreicht hat?

Das Evangelium des jüngsten Glaubens sagt: Jesus Christus hat sich unter dreifachem Gesichtspunkt als denjenigen ausgewiesen, dessen Person und Verkündigung an keiner andern Erscheinung in der Welt- geschichte gemessen werden kann, dessen Werk und Testament von einem unendlichen Wert ist für das Menschengeschlecht. Christus hat die Wahrheit der Menschheitsreligion in einziger Weise bestätigt; er hat ihre Offenbarung zum Abschlusse gebracht; er hat ihre Wirk- samkeit gewährleistet für alle Zeiten.

Christus hat die Wahrheit der Religion bestätigt.

Schon Altisraels Propheten und Psalmensänger hatten in dem mono- theistischen Gottesglauben, in der Anbetung des Einen, allmächtigen, gerechten, heiligen, gütigen Wesens die wahre Religion und in ihr den Adelstitel des Menschenwesens erkannt. Christus hat dann, wie kein Seher vor ihm und kein Lehrer nach ihm, die Sehnsucht des Menschenherzens empfinden, das gläubige Gemüt schauen und erleben lassen, daß die Gottheit nicht die allwaltende, sinn- und fühllose Naturmacht ist, vor der der Heide gefürchtet und gebebt hat, sondern daß Gott der Weltenherr ist, doch nicht einfach der schöpferische Herrscher und der zwar unparteiische, aber unerbittliche Wahrer der Macht und der Gerechtigkeit, vor dem der Jude sein Haupt verhüllt — Christus hat vielmehr bestätigt, daß Gott der Vater ist, dessen Wesen eine dreifache Unendlichkeit in sich vereinigt, die Weisheit des Urhebers, die Heiligkeit des Lenkers und das grenzenlose Wohlwollen des Belohners. Hiermit ist die Gottheit geoffenbart als das Urwesen, in dessen Geist, Herz und Hand die Ausgänge von allem liegen, und zu dem, dem Inhaber jeder Vollkommenheit, alles was atmet zurückkehrt.

„Gott ist die Liebe", und „Gott den Herrn lieben über alles": das ist der Hauptsatz und das Hauptgebot auch bei Jesus Christus. Und die wahrhaft in Gott sind, sind mit Notwendigkeit in der Liebe. Darum versteht sich das andere große Gebot von selber, die Nächstenliebe. Gott hat sich ja nicht dem einen und andern bloß, sondern er hat sich der Erkenntnisfähigkeit und der Liebesbedürftigkeit aller Wesen, denen der Glaubenssinn einwohnt, als den „Vater im Himmel" bezeugt. So sind die Menschen von Haus aus wie Sprößlinge eines Blutes. Die Menschheit ist, was kein aufgeschlossenes Bewußtsein verkennen kann, von ihrem Urheber als eine Familie, als Bruderbund gedacht und gewollt, und die Form, welche dieser Bund als das Ziel seiner Ausgestaltung auf Erden darstellen soll, ist das Himmelreich, das Gottesreich hienieden. Sein Kommen ist der Inhalt der Frohbotschaft Jesu. Das Kommen des Reiches erbeten dürfen, damit einmal „Gott alles in allem sei", das ist die Auszeichnung der Kinder des himmlischen Vaters, der Brüder und Miterben Christi[1]. Das sind die alten Wahrheiten, die der Herr neu bestätigt hat.

Christus hat sodann die Offenbarung der wahren Religion vollendet.

Allemal war es ein Fortschritt von weltgeschichtlicher Bedeutung, als der Menschengeist, der im Anbeginn zagend unter dem Druck einer

---

[1] 1 Kor 15, 28.

unerforschlichen Macht stand, diese Macht als Vernunft, als Urheberin des rechten, gerechten Weltgesetzes, und diese Vernunft als das höchste Gut erkannte, als die Liebe, der die Seinsgesetze Mittel sind, den Geschöpfen nach dem Maß ihrer Fassungskraft das individuelle Daseinsglück zu verbürgen. Der Fortschritt der religiösen Entwicklung ward auf seine Höhe geführt, als das Evangelium Jesu verkündigte: „Friede den Menschen auf Erden!" Friede, Seligkeit jedem Wesen, dessen Sehnsucht erfahren, daß es das höchste Gut selber sein eigen nennen und sich ihm einigen darf!

Solches kann und soll der Mensch, und der religiöse Mensch ist des Zieles sicher, nach dem sein Verlangen steht. Ist es doch der lebendige Begriff der Religion, daß jeder Mensch an seinem Orte mit Christus zu sprechen weiß: „Ich und der Vater sind Eins" nach Herz und Gesinnung; „der Vater ist in mir, und ich bin in dem Vater".

„Der Vater ist in mir." Das heißt: Indem Gott meinem Gemüte sich gibt als Grund und Endziel meines Daseins, wohnt er, das Wort und der Geist der Wahrheit, in meinem Innersten, dem Quellgrunde meines Glaubens. „Und ich bin in dem Vater." Das besagt: Indem ich den Sinn der Wahrheit und die Huld der Liebe koste, empfindet mein Geist den Inhalt meines Wesens, und mein Lieben besitzt ihn, aus dem mein Wesen ist. Und weil mein Ich das höchste Gut fühlend ahnt, ahnend inne hat, glaubend umfaßt, so bringt mir das Entzücken der Gottseligkeit die Gewißheit, daß der Wert meiner Seele, die für einen unendlichen Besitz und für die ein unendlicher Besitz bestimmt ist, selber unendlich sein muß.

Die Seele für Gott, Gott für die Seele! In dieser Urform und Urwahrheit aller Religion ist dem Menschen ein unnennbarer Trost verliehen. Denn der Erdenpilger vermag sich nun in der Wirklichkeit, in die er hineingestellt ist, ebenso heimisch zu fühlen, wie er sich dem Urheber der Wirklichkeit verwandt weiß. Es ist also das Gefühl der Furcht, des Fremd- und Vereinsamtseins in der Welt, wovon der Heide gar nicht, der Jude nicht ganz loskommen konnte, für den Christen überwunden. Der Mensch im Christentum, Gottesbild und Gottesträger, sagt voll inniger Demut und voll hehren Selbstbewußtseins: Ich wäre nicht, wenn das Weltganze mit seinem Grund nicht wäre; aber die Weltharmonie, die Gott realisiert haben will, wäre gleichfalls nicht ohne mich, der ich als ihr wesentlicher Teil von Gott gewollt bin.

Goethe hat die Verse geschrieben [1]:

> „Wenn wir in raschen, mutigen Momenten
> Auf unsern Füßen stehen, strack und kühn,
> Als eigner Stütze froh uns selbst vertraun,
> Dann scheint uns Welt und Himmel zu gehören.
> Doch was in Augenblicken der Entzückung
> Die Kniee beugt, es ist ein süß Gefühl —
> Und was wir unserm Vater, König, Gott
> Von Wonnedank, von ungemess'ner Liebe
> Zum reinsten Opfer bringen möchten, drückt
> In dieser Stellung sich am besten aus."

Die neueste Religionswissenschaft gibt zu verstehen: Seine Zeilen hätte Goethe nicht schreiben können, und sie könnten nicht auf das Tiefste bezogen werden, was ein Menschengemüt zu erregen vermag, hätte Christus nicht die vollkommene Offenbarung auf die Erde gebracht, daß alles, Welt und Himmel, Eigentum des Menschen ist, weil der Mensch das Kind des Gottesherzens ist, der Liebling dessen, der das höchste Wesen, die höchste Vernunft, das höchste Gut ist.

Solches hat Jesus Christus durch seine Person und sein Wort vor den Sterblichen bezeugt, wie vor ihm und nach ihm kein anderer Mensch zu tun im stande war. Darum ist der Herr, der erlebt hat, was er verkündigte, den die Kraft seines Erlebnisses bis in das Sterben hinein getragen hat, der Vollender der Religion auf Erden.

Christus leistet aber auch Gewähr für die Wirksamkeit der Religion auf alle Zeiten.

Dieser dritte Gedanke beweist den Vertretern des jüngsten Christentums die Richtigkeit der beiden ersten und setzt die Bedeutung der christlichen Religion, des Gottesbewußtseins in ihr, voll ins Licht. Wie nun verbürgt Christus die lebendige Wirksamkeit der Religion?

Für die Wahrheit, die das religiöse Glauben schaut, daß der Mensch sich als der Schützling der unendlichen Liebe fühlen darf, ist Christus während seines Erdenlebens mit der ganzen Macht seiner Persönlichkeit eingestanden, und die kundgegebene Kraft seiner Überzeugung war dermaßen überwältigend, daß, nach dem Ausweis der Evangelien, ein jeder, den das Gotteswort Jesu traf, im Innersten ergriffen wurde. Und zur Stunde noch macht jeder Willige, der die frohe Botschaft aufnimmt — Vaterunser, Bergpredigt, Verlorener Sohn, Barmherziger Samaritan, Großes Gebot — an sich dieselben Erfahrungen, welche die Zeitgenossen Jesu machten.

---

[1] Die natürliche Tochter I, 5. Auftritt.

Christus ist sodann, was das Größere ist, für die Wahrheit seiner Überzeugung, deren Widerhall in jedem religiösen Gemüte lebt und es belebt, eingetreten in seinem Sterben. Ein Zurückweichen vor dem Tode, eine Weigerung Jesu, den Leidenskelch bis auf die Neige zu trinken, hätte die Wahrheit seines religiösen Wissens und seine Selbstgewißheit in Frage gestellt. Das wäre gleichbedeutend mit der Preisgabe der höchsten religiösen Erkenntnis gewesen, die in Christus, dem auserwählten „Gottessohn“, aufgeleuchtet hat. Die Opferung des wertvollsten Gutes, des leiblichen Lebens und der Ehre, was der Herr im Dienste des Vaters hingegeben, war die Rettung des wahren Glaubens für uns alle. Dadurch ist Christus der H e i l a n d der Welt geworden. Sein Tod hat dem Menschengeschlechte das höchste Gut, nämlich das Vertrauen in das höchste Seelengut, die Gotteskindschaft, verbürgt. Der Fluch des Irrtums ist weggenommen; der Bann des Zweifels an der Glaubenshoffnung, des Mißtrauens und der Verzagtheit ist gebrochen; der Unwissende ist aus dem Elende der Gottverlassenheit, aus der Qual des heimatlosen Alleinseins befreit. So bleibt das Fortleben der religiösen Energie in der Welt gesichert.

Nachdem Christus der Welt sein Beispiel hinterlassen, nachdem er für den erhabensten Wert der Menschheit den Opfertod des E r l ö s e r s gestorben, ist die Wahrheit, die nicht zu töten war, aus dem Grabe des Gekreuzigten auferstanden. Seitdem ist der Glaube der Sterblichen, daß ihr bestes Teil im Ewigen verankert ist, selber unsterblich[1]. Die Vernünftigkeit in allem Vergänglichen ist der unvergängliche Inhalt des göttlichen Weltplanes, und als eines Teilchens von ihm ist sich die Menschenseele in ihrer Gotteskindschaft bewußt. Das hat Christus Jesus durch die Offenbarung seiner „Gottessohnschaft“ zum Gemeingute der Menschheit gemacht. Durch die Besiegelung des weltüberwindenden Glaubens ist der Mann aus Nazareth, dessen Überzeugung, Heldenhaftigkeit und Liebe stärker waren als Not und Sterben, zum Erstgebornen unter vielen

---

[1] Unwillkürlich erinnert man sich bei der Versicherung, daß das Zeitlose im Menschen von dem Tod in der Zeitlichkeit nicht berührt werden könne, an Augustins Gedanken (In Ioann. tr. 67): „Creditis in deum? Et in eum credite, cui natura est, non rapina, esse aequalem deo! Semetipsum enim exinanivit, non tamen formam dei amittens, sed formam servi accipiens. Mortem metuitis huic formae? Non turbetur cor vestrum: suscitabit illam forma dei!“ Freilich, die poetischen Metaphern, über welche die Neueren nicht hinauskommen, lassen sich mit der Kraft und Schönheit der augustinischen Worte nicht vergleichen.

Brüdern geworden. Alle die sind es, denen das Vorbild, das ihr Heiland und Erlöser vorgelebt hat, den Mut, die Kraft, den Heldensinn einhaucht, das Seelengut der Wahrheit höher zu werten als den Leib und als die ganze Welt, durch Glauben, Hoffen und Lieben im Leben treu zu sein und über den Tod zu triumphieren.

Endlich das Größte, was die Bewunderung des modernen Religionsglaubens an der Tat Jesu rühmt!

Der Mensch als Naturwesen ist, worüber in der Erfahrung wie in der Kunst und Wissenschaft Einhelligkeit besteht, ein völlig wehrloses Geschöpf. Die Elemente scheinen nicht bloß auf die Gebilde seiner Hand, sondern auf den Sterblichen selbst einen Haß geworfen zu haben. Dazu kommt, daß ein Zwiespalt durch unser Inneres geht. Stets ringt in uns das Geistige wider das Sinnliche, und infolge dieses Widerstreites neigt das Kind schon und der Greis noch bald zum Guten, bald zum Bösen. Von diesem Gegensatze kann man sagen, daß er, eine Natursünde, sich von Geschlecht zu Geschlecht vererbt, während es freilich der Vernunft des Vernünftigen eine unverständliche Zumutung bedeutet, annehmen zu sollen, daß etwas rein Sittliches, eine Schuldhaftigkeit an dem Gegensatze, von den Eltern auf die Kinder, ohne die Dazwischenkunft eines persönlichen Wollens auf beiden Seiten, übergehe.

Der religiöse Mensch nun, der so von dem Bewußtsein seiner Gotteskindschaft durchdrungen ist, daß ihm die Überzeugung von dem unendlichen Werte seines höheren Wesensteiles unverlierbar geworden, ist gefestigt gegen jegliche Anfechtung, mag sie ihm von außen oder von innen kommen. Denen, die Gott lieben, wenden sich alle Dinge zum Heil. Weder ein Unglück, das ihn betroffen, noch ein Fehler, den er begangen, weder ein Schicksalsschlag noch eine Sünde kann dem, der sich in Gott geborgen weiß, den Seelenfrieden vernichten. Ist er doch sicher und froh in dem Glauben, daß die Liebe des unendlich Guten nicht bloß allfürsorgend, sondern auch allerbarmend ist, daß Gott den durch äußerliche Heimsuchung Gebeugten nicht verlassen und den durch innere Fehle Gedrückten nicht verwerfen kann, da der Sünder wie der Geprüfte Gottes Kind ist!

Den Erweis dafür, daß der Unglückliche in der Hand Gottes ist, sieht der Fromme mit dem Frömmsten der Dichter als offenkundig an [1].

---

[1] Sophokles, Antigone 332 ff (Donner).

Dem Menschen bewähren sich die Natur- und Geistesgaben am herrlichsten in der Erfindung des Wortes und im Fluge der Gedanken, sagt
Sophokles, ferner in der Bereitung des schützenden Daches und in der
Ersinnung staatenordnender Satzung, nicht zuletzt in der Heilkunst, die
nur dem Tode weicht. Hierdurch aber ist dem Erdensohne die Beherr-
schung des Ozeans, die Eroberung des fruchttragenden Landes und die
Bezwingung der ganzen Tierwelt, ist ihm also der Schutz gegen Unbill
und Widrigkeit, woher sie drohen mag, vom Herrn der Natur in fast
greifbarer Weise gesichert.

Der Erweis dafür, daß Gott auch den Sünder nicht verstößt, liegt
für das religiöse Empfinden in der Fähigkeit des Menschen, nach jedem
Falle wieder aufzustehen, stets durch das Bessere, was auf dem Grunde
der Seele lebt, an der Besserung des Minderwertigen zu arbeiten, mit
jenem für dieses genugzutun, indem der gute und starke Mensch im Sünder
leidet und büßt, was der schwache Mensch verschuldet hat. Doktor Faust,
der Repräsentant des gottgeschenkten Vernunfterkennens, weiß beides,
nämlich daß der Mensch sich des rechten Weges wohl bewußt ist im
dunklen, selbst im irren Drange seines Ringens, und daß die guten Geister,
mögen sie die Gnaden der Gottheit sein, oder mögen sie, die mithelfen-
den und mitleidenden Gestalten, Menschenantlitz tragen, über jedes Glied
der Geisterwelt frohlocken:

> „Wer immer strebend sich bemüht,
> Den können wir erlösen.“

Die Botschaft nun gerade des ursprünglichsten religiösen Glaubens,
die Botschaft von der Edelkraft in der Menschenseele einerseits und
anderseits von der Erbarmung des Allguten dem Schwachen gegenüber —

> „Ob er heilig, ob er böse,
> Jammert sie der Unglücksmann“

— das Menschheitsevangelium ist es, das Jesus Christus besiegelt hat
mit seinem Lebensblut. Und er hat es getan mit einer Gewalt, welche
die Weltgeschichte nur einmal kennt.

Lebendig erhalten wird das Wort und das Bild Jesu Christi für alle
Zeiten durch den Bruderbund der Seinigen, durch seine Kirche. Jedes Glied
des Bundes, das den Urgedanken Jesu von Gott, dem Vater der Menschen-
seelen, in sich Gestalt gewinnen läßt, erlebt den Beweis des Geistes und
der Kraft, die vom Herrn ausgehen. Und gehoben durch das Beispiel,
durch die Lebenserfahrungen gleichgestimmter Genossen, der Schäflein, die

auf den Weiden des Heilandes gehen, empfindet es jeder einzelne der Angehörigen Christi, daß er über die Welt, ihre Not und ihre Lust, über
das Übel als Schickung und über das Böse als Schuld Sieger bleiben
kann, wenn das Gemüt an seinem Gotte hält, wenn das Herzensgespräch
zwischen Gott und der Seele stets in dem Ruf und Gegenruf endet:
„Mein bist du!"[1]

Jesus Christus, der die echte Offenbarung der Religion in der Menschenseele bekräftigt hat und sie vollendet, leistet somit allen, die sich
auf ihr bestes Teil, auf den ewigen Wert ihres Wesens besinnen, die
Bürgschaft für die Wirksamkeit der Religion, für ihren unvergänglichen
Segen an allen Orten und zu allen Zeiten. In einer Form, die jedermann
erproben kann, leistet der Herr Gewähr durch seine Kirche, die freie
Gemeinschaft von Brüdern und Schwestern, die nichts bindet als die
Liebe zu Gott und zu den Mitwesen. Der Christ wird in der Liebes-
gemeinschaft durch seinen Glauben zur vollkommenen Aussöhnung mit
seinem Lose hienieden und mit seinem Gotte geführt, da er belehrt ist,
wie jede Prüfung ertragen und wie Ersatz aufgebracht werden kann für
jede Schuld. Durch diese Lehre ist der Urheber des Christenglaubens,
des Menschheitsglaubens in der geläutertsten Form und mit der kraftvollsten
Energie, zur Versöhnung für unser Geschlecht geworden. Der Herr erweist sich als der Weltheiland, als der Welterlöser, der allen Willigen zeigt,
wie dem Bedürfen und wie der Pflicht genugzutun und dadurch der
Pfeil des Unheils und der Stachel der Schuld zu entfernen ist, für immer-
dar durch die Stiftung des Menschheitsbundes.

Jesus Christus, eine Gotteskundgebung, die vordem nicht erreicht
und die nachher nicht überboten worden, hat am tiefsten und lebendigsten,
mit vollendeter Klarheit und Mächtigkeit, mit einer überschwenglichen
Fülle von Frieden und Trost, unter den beseligendsten Verheißungen
ausgesprochen, durch seine Lehr-, Lebens- und Blutoffenbarung ausgesprochen, was das Wort von der Gotteskindschaft für die Menschenseele enthält — was darin eingeschlossen ist an Wahrheiten für das
denkende Glauben, an Geheimnissen für das Hoffen und Lieben, an
Kräften für das Wollen, Werten und Ringen. Darum steht die Persönlichkeit, die den Namen Jesus Christus trägt, auf einer Höhe, zu der
von den Gotteskindern keines sonst je gelangt ist, noch je gelangen kann.

---

[1] Vgl. Is 43, 1 ff; 49, 16 ff.

Darum verehrt die Menschheit den Mann aus Nazareth als den „Sohn Gottes".

Dies ist das modernste Bekenntnis zu Christus. Es enthält um ein kleines mehr, als was schon Ernest Renan gesagt hatte.

Nach Renan ist der Begriff des Christentums „beinahe" gleichbedeutend mit dem der Religion. Jesus Christus ist dem französischen Verfechter eines geläuterten Glaubens die Persönlichkeit, die noch immer die Geschicke der Welt leitet, die Persönlichkeit, die man „göttlich" nennen darf, nicht in dem Sinn, als hätte Jesus alles Göttliche in sich vereinigt, sondern in der Überzeugung, daß der Mann, der keine Glaubenssatzungen verkündigt, der aber die Bergpredigt gehalten, der den großen Bund der Vernunft und der Sittlichkeit gestiftet hat, die menschliche Gattung den gewaltigsten Schritt zum Göttlichen hin hat machen lassen. Jesus ist nicht von Irrtum, Leidenschaft und Sünde frei gewesen. Doch unter den Säulen, die sich aus der einförmigen Flachheit des Menschengeschlechtes und seiner Geschichte zum Himmel erheben und die für die edlere Bestimmung der Menschheit zeugen, ist Jesus die erhabenste. Er hat den Himmel der reinen Seele geschaffen, das Reich des Ideals, des Geistes und der Freiheit, das Gottesreich, das seine ganze Herrlichkeit in der Gedankenwelt hat. Insofern ist Christus der Urheber der wahren Religion, die nicht mehr neu begründet werden kann, wenn auch ihr Inhalt fruchtbarer noch zu entwickeln ist; insofern ist Christus noch immer „der Großmeister der Seelen", die im überirdischen Reiche des religiösen Gedankens — er hat in Jesus die Welt erobert — ihre Heimat suchen.

Also die freieste Forschung in Frankreich[1]. Ist ihr das Christentum der relative Superlativ unter den bisherigen Religionen, so möchte das Dogma des jüngsten Christentums in Deutschland ein absoluter Superlativ, d i e Religion schlechthin sein, der aufgeschlossene Sinn der Welt- und Menschheitsreligion. Beide aber, die romanische und die germanische Form der neuen Frömmigkeit, haben e i n e s gemeinsam.

Mit den Dogmen und Formeln, mit den Symbolen und Mysterien, mit dem Buchstaben der alten Kirchen, der nach den Meinungen des Tages nur vor dem Ahnen der tiefsten Geister in der Vergangenheit ab und zu die Wahrheit aufstrahlen ließ, teilen die freigesinnten Ge-

---

[1] Ernest Renan, Vie de Jesus, Conclusion (erstmals 1863).

lehrten diesseits und jenseits des Rheines, auch diesseits und jenseits der Alpen, diesseits und jenseits der Meere, nichts als die Bezeichnung[1].

II.

Was ist von dem Dogma des jüngsten Christentums, das seine Vertreter mit großem, oft blendendem Reichtum an Worten vortragen, zu urteilen?

Wir stehen — das soll in keiner Weise verhehlt werden, wenn hier auch nicht der Ort ist, die positive Gegenaufstellung wissenschaftlich durchzuführen — dem Versuche, der eine neue Deutung der christlichen Offenbarung, eine Umdeutung ihres Grundbegriffes vornehmen will, gänzlich ablehnend gegenüber.

Ein Zug nur an der neuen Richtung kann ungeteilte Billigung finden[2]. Was den tieferen Sinn wohltuend anspricht, das ist der Hauch

---

[1] Sehen wir von den mannigfaltigen Formen ab, die der Irrtum in Bezug auf die Person Jesu und auf das Wesen des Christentums während der alten Zeit angenommen hat, dann bildet das Dogma des jüngsten Christentums den vorläufigen Abschluß einer zahlenmäßig bestimmbaren Reihe von Meinungen. Gegenüber der Grundüberzeugung von der Gottheit des Welterlösers, die von den Positiven in den Reformationskirchen nicht minder als von den Rechtgläubigen der katholischen Kirche vertreten wird, kann man einen dreifachen Rationalismus nebst vielen Schattierungen in der (protestantischen) Christologie unterscheiden. Er hat an der Zersetzung des christlichen Grunddogmas Schritt für Schritt gearbeitet und tut dies noch. Der populäre Rationalismus, der die sozinianischen und verwandte Vorstellungen weiterbildet, sieht in Christus den „göttlichen" Lehrer, der durch sein musterbildliches Leben und durch sein Martyrium am Kreuze die gute Sache der idealen Menschentums, „Freiheit, Liebe, Menschlichkeit" zum Siege geführt hat. Der spekulative Rationalismus erkennt in dem Dogma von der Gottmenschheit, der Erlösung, der Versöhnung, den vorstellungsmäßigen Ausdruck für den Begriff von der Wesenseinheit des endlichen und des unendlichen Geistes, einer Einheit, die Jesus Christus in sich als konkretem Beispiel vor allen Menschen und für alle zur Darstellung gebracht hat. Der historisch-kritische Rationalismus endlich faßt das Christentum als das natürliche Produkt der Entwicklung, welche die religiöse Anlage des Menschengeschlechtes bisher durchgemacht hat, und die mit dem Christentum — nach den einen, eben den Vertretern des „jüngsten Christentums" — auf ihren Höhepunkt gelangt ist, oder die — nach den Vertretern des radikalen, konsequenten Evolutionismus — über das Christentum weg ins Unendliche verläuft. Vgl. S. Faust, Die Christologie seit Schleiermacher; Verfasser ist Ritschlianer.

[2] Vgl. Apg 17, 28, wo Paulus den Versschluß: „τοῦ γὰρ καὶ γένος ἐσμέν" anführt. Man verweist dabei auf das noch erhaltene Gedicht Φαινόμενα καὶ Διοσημεῖα (Sternerscheinungen und Wetterzeichen: Cicero de or. 1, 16) von Aratus aus Soloi in Cilicien, also aus der Heimat des Apostels (um 271 v. Chr.); auch auf die Zeusdichtung des Kleanthes aus Assos in Mysien (um 260 v. Chr.). Aratus und Kleanthes huldigen dem stoischen Pantheismus. Hiernach lebt, wie später Virgil den Gedanken gewendet hat (Georg. 4, 220; Aen. 6, 724), eine „pars divinae mentis", ein „igneus vigor et coelestis origo" in jedem Wesen. Wir Menschen sind vom „Geschlechte Gottes", heißt somit nach der Quelle des hl. Paulus: Wir sind der Gottheit wesensverwandt, wesens-

des Idealismus, den die meisten Arbeiten der negativen, liberalen Theologen atmen[1].

Der Materialismus sieht die Lösung der Welträtsel in dem Worte von den ewigen, ehernen Gesetzen, wonach sich die Stoffmassen, unendlich in ihrer Substanz und unveränderlich nach dem Maß ihrer Energie, gegenseitig anziehen und abstoßen. Gemäß den Gesetzen des Mechanismus sollen auch die feinsten Stoffteilchen in den Menschengehirnen sich regen, das Wechselspiel von Sympathie und Antipathie, von Egoismus und Altruismus auslösen; Hunger und Liebe regeln hiernach allein das Weltgeschehen und schaffen in der verketteten Abfolge notwendiger Entwicklungen aus den ersten Anfängen heraus den Inhalt der Weltgeschichte.

Von den Arbeitskammern des Materialismus her wird es den Hochgesinnten, den Begeisterungsfrohen, den Ahnungsreichen, kurz den Mann der Ideale stets wie ein Grabesschauer anwehen. Wer der Überzeugung lebt, daß es möglich sein muß, die Ergebnisse der Wissenschaft und die Forderungen des menschlichen Gemütes gegeneinander auszugleichen, Frieden zu stiften zwischen Kopf und Herz, der vernimmt es leuchtenden Auges, wenn der Philosoph verkündigt: Der seelenlose Weltmechanismus, dessen Teilstücke nebst Bewegungsformen einer entgeistigten Auffassung das Eins und Alles sind, ist etwas gänzlich Untergeordnetes, er stellt nur das Gerüste für die Wahrheit vor. Die Wahrheit selber ist ein Gut, welches den Suchenden mit der Einsicht beglückt, daß, trotz aller Dunkelheiten im Einzelnen, im Weltganzen Sinn, Zweckmäßigkeit, Schönheit verwirklicht ist, daß das Universum von der Vernunft der höchsten Liebe gegründet, auf Vernunft angelegt und in seinem Reichtum die Heimstätte von Geschöpfen ist, welche die Gottesgedanken nachzudenken, ihre Herrlichkeit nachzufühlen und sich selbst nach den Planen des Ewigen zu bilden im stande sind[2].

eins mit ihr. Nicht diesen Irrtum aber will Paulus sich aneignen; anerkennen will er vielmehr nur den Anhauch von theistisch-christlichem Idealismus (Antimaterialismus), der einen Komplex von sachlich ganz verkehrten Meinungen noch durchwehen kann. Solch ein Umstand, der auch in Bezug auf das „Dogma des jüngsten Christentums" zutrifft, kann den Irrtum zum Mitzeugen der Wahrheit machen.

[1] Wir müssen, von unserem Standort aus, die Theologen der sog. Mittelpartei, die mit den Positiven die Absolutheit der Lehre Christi behaupten, mit den Negativen seine Gottheit leugnen, zu den Vertretern des kirchlichen Liberalismus zählen.

[2] Die geistvollste Ausführung dieser Gedanken s. in Hermann Lotzes ‚Mikrokosmus. Ideen zur Naturgeschichte und Geschichte der Menschheit'. Vgl. „Das religiöse Leben" in III[3] 329—380 und namentlich die Einführung ins ganze Werk. — Auch die bekannte akademische Rede Hyrtls: „Die materialistische Weltanschauung unserer Zeit",

Die Philosophie des Idealismus bildet die unmittelbare Voraussetzung des religiösen Glaubens und der Frömmigkeit; der Denker des philosophischen Ideales und der Mann der Religiosität haben wahlverwandte Seelen. Freilich folgt allein aus der Tatsache, daß sich Idealismus und Religion anziehen und wechselseitig fordern, weder die Richtigkeit des einen noch die Begründung der andern. Welche der idealistischen Welterklärungen, die nach Inhalt und Methoden recht vielgestaltig sind, die eine echte ist, muß hier unerörtert bleiben. Dagegen obliegt dem, der die neueste Konstruktion des christlich-religiösen Grundbegriffes als erweisbar irrig bezeichnet, die Aufgabe, die wesentlichsten Punkte zu nennen, auf denen sein Urteil ruht. Nochmals aber sei betont, daß die moderne Religionswissenschaft, soweit sie in dem geistig-sittlichen Begriff von dem höchsten Wesen und von der Menschenseele den eigentlichen Gehalt, den absoluten Wert des Evangeliums Jesu verehrt, den Materialismus des Denkens, Handelns und Wünschens grundsätzlich zu entwurzeln bemüht ist. Wo die Modernen über das Geheimnis der Religion ihr Bestes geben wollen, bezeugen sie, daß die Höhe und Tiefe des Wortes Jesu Christi von keinem Menschenworte sonst erreichbar und daß alles Edle in der heutigen Welt zuletzt doch auf den einfachen Nazarener zurückzuführen sei, mit seinem göttlichen Idealismus im Zusammenhang stehe. Da lieben sie es, ihre gehobensten Vorstellungen in Ausdrücke der heiligen Schriften zu kleiden, und oft mag es dem Hörer sein, als klinge durch sein Gemüt ein Glockenton aus der Heimat, die den Frieden seiner Kindheit umschirmt hat.

Allein keine Schönheit, keine Innigkeit, keine Ehrwürdigkeit des Ausdruckes kann die Frage des kritischen Verstandes beiseite schieben: Soll der Kerngedanke der heiligen Schriften und der Botschaft Jesu nichts weiter als den Umriß einer antimaterialistischen Gottesidee geben, nichts anderes als einen Begriff vom Menschen und seinem Verhältnisse zur Gottheit umschreiben, der eines sittlich gereiften Geistes würdig ist? Ist

die der Begründer der topographischen Anatomie als Rektor der Wiener Hochschule am 1. Oktober 1864 hielt, darf noch immer erwähnt werden. Neuerdings hat insbesondere I. Reinke gegen den Materialismus Stellung genommen, indem er (am 10. Mai 1907 im preußischen Herrenhaus) erklärte: „Die Hochhaltung der alten Weltanschauung mit ihrem ehrlichen Fortschritt des Wissens verbürgt uns die Aufrechterhaltung unserer geistigen Kultur, während der materialistische Monismus Haeckels mir einen Rückfall in die Barbarei zu bedeuten scheint." Vgl. I. Reinke, Die Welt als Tat⁴; Einleitung in die theoretische Biologie (1901); Die Natur und Wir (1907); Haeckels Monismus und seine Freunde (1907).
Braig, Vom Wesen des Christentums.

dies das ganze Christentum? Ist ein Wesensstück der Religion ihr volles Wesen? Der unendliche Reichtum, den die größten Geister der alten Kirche außer zwei idealen Anschauungen sonst noch in dem Evangelium Christi finden, ist der Reichtum lediglich auf die Rechnung einseitig enthusiastischen Übertreibens zu setzen?[1]

Gustav v. Rümelin[2] hat ein Bild gezeichnet, das die Bedeutung des „Neuen Glaubens" von David Friedrich Strauß trefflich beleuchtet.

Ein Gefangener hat in seiner Turmzelle nur einen schmalen Spalt, durch den er Licht und Luft empfängt, vorüberziehende Wolken und Sterne, etliche Blätter und Äste eines Baumes sieht. Der Mann möchte gerne wissen, wie die Rundsicht aufs Ganze von der Höhe des Turmes sich ausnimmt. Wird seine Sehnsucht nun wohl gestillt sein, wenn ihm der Wärter etwa den Aufschluß gibt: Das, was man von der Plattform des Turmes sieht, heißt man das Panorama?

Rümelin fügt an: Ungefähr so macht es Strauß, der in seinem Alter noch eine Führerstelle bei den Materialisten angenommen. Der Kritiker des Idealismus erklärt: Die Summe der Dinge wird Universum genannt; die Volksmassen darin sind durch Belehrung über die Bedürfnisse ihrer Gattung und nötigenfalls durch Polizeigewalt in Ordnung zu halten; einer Anzahl gutgestellter Individuen, Lieblingen des Schicksals, ist es vergönnt, durch Wissen und Kunst beglückt zu leben und ein etwaiges Mißgeschick, das den Atomen des Universums widerfahren mag, mit Fassung zu tragen.

Das Bild ist geeignet, die Bedeutung auch der Aufklärung zu beleuchten, die von der neuesten Wissenschaft über das Wesen des Christentums ausgehen soll. Die Bringer der neuen Aufklärung erledigen die Sehnsuchtsfragen des Menschengeistes damit, daß sie den Weltheiland zu der andächtigen Seele sagen lassen: Wie du von überragenden Bergeshöhen

---

[1] Statt zahlloser vgl. den einen Ausspruch Leos d. Gr. (Sermo 2. in annivers. assumpt. suae über Mt 16, 13 ff): „Manet dispositio veritatis, et beatus Petrus in accepta fortitudine petrae perseverans suscepta Ecclesiae gubernacula non reliquit. In universa namque Ecclesia ‚Tu es Christus filius dei vivi' quotidie Petrus dixit: et omnis lingua, quae confitetur dominum, magisterio huius vocis imbuitur. Haec fides diabolum vincit et captivorum eius vincula dissolvit; haec erutos mundo inserit coelo, et portae inferi adversus eam praevalere non possunt. Tanta enim divinitus soliditate munita est, ut eam neque haeretica unquam corrumpere pravitas nec pagana potuerit superare perfidia."

[2] Reden und Aufsätze I 395 f. Rümelin sagt etwas derb: Strauß verdunkelte den Glanz seiner früheren Leistungen, „indem er noch bei der Bande der Materialisten eine Führerstelle einnahm" (a. a. O. 397).

eine Landschaft in farbigem Glanze schauen kannst, so darfst du das All der Dinge, ihre und deine Bestimmung von der Höhe des geläuterten Religionsbegriffes aus im Lichte der Verklärung erblicken, die Gottes Vaterhuld über das Größte und das Kleinste und über dich ausgegossen hat, den Kenner und den Schützling, den Bewunderer und das Sorgenkind der unendlichen Weisheit, der unerforschlichen Güte.

Weiß ich aber auf Grund der idealen Versicherung, daß das Auge des Glaubens die Herrlichkeiten der Natur als die Wunder der göttlichen Liebe anschauen dürfe, etwas und alles von dem Wesen des Höchsten und von der Art der Wunderdinge? Verstehen wir die Mechanik des Himmels, den Ursprung, die Natur und Struktur der Planeten, ihre Bewegungen und das Innere ihrer Materie, wenn wir sehen und sagen: Die Sonne bestrahlt alle Planeten? Haben wir ein inhaltliches Wissen kundgegeben, wenn wir den Satz gläubig nachsprechen: Der Sonnenstrahl ist der Kraft- und Lebensquell für alles, was keimt, blüht und reift auf den Planeten?

Die Angehörigen des alten Christentums lehnen ausnahmslos die Behauptung ab, die antimaterialistische, ideale Gottesidee, deren wahre Offenbarung Jesus Christus bekräftigt und vollendet und deren Trostwirksamkeit der „Gottessohn" den Gotteskindern aller Zeiten verbürgt habe, sei das Wesen, das Ganze der christlichen und damit aller Religion. Die Söhne der alten Kirche wissen, daß Jesus Christus selber, indem er die Propheten deutet, sich den Sohn Gottes nennt, nicht in einem metaphorischen, sondern im metaphysischen Sinne, und daß in diesem Grunde seines Selbstbewußtseins allein die letzte, die göttliche Bürgschaft aller seiner sonstigen Verkündigungen beschlossen liegt. Die Gläubigen wissen, daß die Apostel und ihre Schriften alle, nicht erst Paulus und Johannes, daß die Gemeinden der christlichen Urzeit das Bekenntnis zu der wahren Gottheit des Erlösers und zu seiner wirklichen, nicht bildlichen Auferstehung rückhaltlos wiederholen. Für die neuere Zeit vereinigt sich Martin Luther mit der alten Kirche, und im Namen der Reformatoren — Ulrich Zwingli würde er vielleicht, die „Schwarmgeister" würde er sicher ausnehmen — protestiert Luther mit der Wucht seiner Persönlichkeit gegen jeden Versuch, das Urdogma des Christentums rationalistisch zu verwässern und humanistisch zu verflüchtigen[1].

---

[1] Paulsen schreibt (Kant der Philosoph des Protestantismus, in: „Philosophia militans" 46): „Luther hätte darin — in Kants religionsphilosophischen Meinungen wie

An dem geschichtlichen Sachverhalte wollen nun zwar auch die Modernen nicht rütteln. Aber sie behaupten, daß die wissenschaftlichen Mittel, die heute gestatten, die Herzbewegungen der Geschichte zu beobachten, folgenschwere Aufschlüsse gebracht haben. Christus ist und bleibt hiernach die gottbegnadigte Idealgestalt in der Menschheit. Aber Christus hat sich selber, das Wogen seines geheimnisvollen, seines wunderbar erregten Gemütes nicht ganz und nicht richtig begriffen; er hat sich etwas anderes und allerdings unendlich mehr als den ewigen, beim Vatergott geborgenen Wert der reinen, lautern Menschlichkeit zugesprochen. Mißverstanden haben ihren Meister die Jünger, denen der Idealmensch zum Gott geworden. Mißverstanden wurden die Apostel von ihren Schülern. Lawinenartig haben sich die Mißverständnisse der religiösen Begeisterung, des mystischen Grübel- und Opfersinnes, der Schwärmerei vom tausendjährigen Gottesreich auf Erden u. a. im Laufe der Zeiten vergrößert. Und auf diese Weise, nämlich dadurch, daß der Hunger des Religionstriebes in das Christentum alles aufnahm, was in der jüdischen und heidnischen Frömmigkeit, Übung und Spekulation wie Brot ausgesehen, ist der gewaltige Organismus von Glaubensanschauungen herangewachsen, der nun als die positive, konservative Dogmatik der christlichen Kirchen vor den Augen der Welt steht. Diese Dogmatik — die Einzelausprägungen nach den Gesichtspunkten der Sonderkonfessionen kommen hier nicht in Betracht — hat, was schon ihr Prototyp, das „Apostolische Symbolum" getan, den Ursinn der religiösen Wahrheit, wie Christus ihn empfunden und der Welt vorgelebt hat, in ein verwickeltes System von Formeln zu fassen gesucht, und darob ist die Wahrheit bis zur Unkenntlichkeit entstellt worden.

Es ist von den Modernen zugegeben, daß ihre Entdeckungen in keiner der alten oder der heute noch in Kraft stehenden Bekenntnisformeln irgend

---

Autonomie der Vernunft, Antiintellektualismus, Voluntarismus — seine Gedanken kaum wieder erkannt: er blieb schließlich doch in der Metaphysik der Zweinaturenlehre hangen, ebenso wie er in der Abendmahlslehre in der (alten) Metaphysik hangen blieb; dennoch sind es seine Gedanken, auf einer höheren Stufe, in freierer Zeit, mit voller Klarheit gedacht." Hiergegen würde Luther sich entschieden verwahrt haben. Der Inhalt seines — christologischen — Glaubens war in der Hauptsache der der alten Kirche. Freilich meinte Luther, ohne die Kirche — solâ fide, quâ credebat solus ipse — unfehlbar den Inhalt des alten Kirchenglaubens aus der Schrift allein schaffen und ihn festhalten zu können. Das war der Irrtum des religiösen, des Glaubenssubjektivismus, der zwar noch nicht Luthern selbst, wohl aber seine, im Subjektivismus konsequenten Nachkommen um den Gehalt der ursprünglichen Dogmata gebracht hat.

einer christlichen Konfession einen Rückhalt haben. Die Entdeckungen werben um Zustimmung unter den Anhängern aller Konfessionen, und sie verheißen, für jedes Bekenntnis, so die Zeit seiner Entkräftung gekommen, den vollen Ersatz bieten zu können. Bei solchem Sachverhalte braucht sich die Kritik, die wir dem modernen Dogma widmen, nicht auf einen konfessionellen Standpunkt zu stellen. Ihr Standpunkt ist der der interkonfessionellen Logik.

Von diesem Punkt aus ist zu sagen: Das Dogma des jüngsten Christentums ist kein wissenschaftliches Postulat, sondern eine Glaubenssache. Genauer besehen, ist dieses Dogma nicht etwas Unbegreifbares wie das Geheimnis des alten Christentums, sondern der neue Satz ist ein unvollziehbarer Glaubenssatz.

Die Gelehrten des Tages wollen zwar mit den Mitteln der Wissenschaft, besonders der vergleichenden Religionswissenschaft, dargetan haben, daß die neue Weltanschauung der notwendige Heilsglaube sei. Die folgerichtige Ergänzung des Wissens sei er durch die Beiziehung der naturgemäßen Ahnungen des Gemütes, und diese Ahnungen wollen die Wirklichkeit, den Gegenstand des rationalen Forschens, im Lichte der Verklärung zeigen, als die realisierte Vernünftigkeit, als das Reich des Guten und der Gottheit, als die Heimat der Gottessöhne offenbaren. Jetzt soll der Mensch, was ihm das reine Wissen nie gewähren kann, den Zugang zum krönenden Oberbau, den allein befriedigenden Zweckabschluß der Erkenntnis haben. Allein, daß dem tatsächlich so sei, das ist eben doch bloß eine mehr oder minder gelehrte Versicherung, die sich vorerst nur an die Glaubenswilligkeit des Hörers wenden kann. Der Hörer soll zu der Annahme beredet werden, die Welt und ihre Bestimmung lasse sich am vernünftigsten auffassen, wenn der willige Schüler so vorangeht, wie er angeleitet wird. Das Ganze läuft somit auf die Verkündigung zwar nicht eines Konfessions- oder Kirchenglaubens, noch weniger eines Volksglaubens, aber eines Gelehrten- und Schulglaubens hinaus.

Ein Umstand vor allem ist bedenklich. Die Gelehrsamkeit, die das Wesen der Religion und das Wesen des Christentums gleichsetzt und die in ihrem Identitätsurteil nichts als den unendlichen Wert der Menschenseele ausgesprochen sieht, die ihr Werturteil dann wieder in dem gläubigen Empfinden des religiösen Menschen begründet sieht, beruft sich wohl auf Moses und die Propheten, auf Christus und die Apostel, auf die Entwicklung der christlichen Kirchen und ihrer Dogmen in der Vergangenheit. Dabei wird aber an den Lehren der Heiligen Schriften und an den kirchlichen Überlieferungen alles unterschiedslos als Mißverständnis behandelt, was mit der jüngsten Meinung nicht stimmt. Ein Moderner selber gesteht: Der heutige Theolog setzt aus sich heraus fest, was christlich, was das christliche Prinzip sein soll; dann tut er, als hätte er sich der „Offenbarung" unterworfen, während er doch, was er als den echten Gehalt der Offenbarung hinstellt, durch seine vorgeblich historische Kritik in die vorgeblichen Urzeugnisse der Offenbarung erst hineingedichtet hat[1].

Solch ein Verfahren, dem jedes Bestimmungsurteil in Bezug auf Christus und Christentum in religiösem Subjektivismus untergehen muß, hat schon Paulus mit dem starken Ausdruck vom „unlautern Handelsbetrieb" in religiösen Dingen gerügt[2].

Mit dem Gesagten hängt eine andere Tatsache zusammen. Berufen sich die Neueren auf Zeugen aus der Kirchengeschichte, dann sind es abgestorbene Anschauungen, Sondermeinungen, die sich vor Jahrhunderten schon dem Bekenntnis der „Großkirche", wie die ungeteilte Gemeinschaft der Christusgläubigen nicht ungerne genannt wird, gegenübergestellt hatten. So weist das Dogma des jüngsten Christentums eine Verwandtschaft auf mit den alten Ansichten, die den Sammelnamen der ebionitisch-modalistisch-arianischen Gnosis führen können[3]. Sie war der früheste Versuch des religiösen Rationalismus, in Christus, statt des wahren Gottessohnes, den Typos des urbildlichen Geschöpfes anzuerkennen, in der Persönlichkeit Christi die vollendete Verkörperung des zeitlosen Menschenwertes zu verehren, der im Wechsel der Menschengeschlechter unversehrt beharrt. In diesem Sinne sollte der Herr, der „Erstling der Schöpfung", dem gläubigen Bewunderer als „zweiter Gott" gepredigt werden.

---

[1] Aug. Dorner, Die Entstehung der christlichen Glaubenslehren (1906), Vorwort und namentlich S. 263 bis Schluß (Entwicklung der protestantischen, katholischen, griechischen Lehre bis zur Gegenwart). — Auf Harnacks Historizismus geht es, wenn Pfleiderer (Berlin) in den Protest. Monatsheften (1906) schreibt: „Eine Umkehrung des geschichtlichen Tatbestandes nenne ich den Anspruch der modernen Theologie auf Alleinbesitz des wahren Christentums; denn darüber kann doch wohl nicht der geringste Zweifel bestehen, daß der kirchliche Glaube an den ewigen Gottessohn und erlösenden Gottmenschen unvergleichlich viel tiefer an religiöser Wahrheit und reicher an erhebenden Motiven ist als das moderne ‚Wesen des Christentums', das nach Ausschaltung des paulinisch-johanneischen Erlösungsglaubens auf das synoptische Evangelium, d. h. auf die messianische Reichsverkündigung und Moral Jesu reduziert ist."

[2] 2 Kor 2, 17: ὡς οἱ πολλοὶ καπηλεύοντες τὸν λόγον τοῦ θεοῦ.

[3] Cfr. 1 Tim 6, 20f. 1 Jo 1, 1ff; 4, 1ff. 2 Jo 7.

Eine Aufstellung aber, die dem kirchlichen Glauben der ersten Jahrhunderte nicht als eine vertiefte Deutung des christlichen Grunddogmas
erschien, die vielmehr als eine schlimme Mißdeutung der göttlichen Offenbarung abgewiesen wurde, kann doch nicht dadurch an Wahrscheinlichkeit gewinnen, daß sie in moderne Wortformen übersetzt und von den
Vertretern eines neuen Sonderglaubens für den Kern der Wahrheit gehalten und ausgegeben wird.

Nicht besser steht es um eine andere Berufung. Jene, die den
letzten Gründen nachspüren, sehen das Dogma des jüngsten Christentums als das Produkt der Entwicklung an, welche die neuere Philosophie
genommen, und von dieser behaupten sie, daß sie den Wesenskern der
philosophischen und der religiösen Wahrheit allgemach zu Tage gefördert
habe. Die Gewährsmänner, auf die sich die Vertreter der neuesten Religionswissenschaft in Gedankensachen stützen, sind, nach Spinoza, Hume,
Locke, vorzugsweise Kant, Fichte, Schelling, Hegel, Schleiermacher, um
die bekannte Reihenfolge zu erwähnen und von älteren wie jüngeren,
größeren und kleineren Denkern zu schweigen.

Wird nun aber dadurch, daß die Theologen sich an die Philosophen
wenden, ihrer Sache ein Halt geschaffen, so daß sie nicht mehr so ganz
den Eindruck einer Glaubensangelegenheit wecken möchte?

Wir schätzen die philosophischen Anstrengungen des menschlichen
Denkens, zwar nicht so wie jene, gleich aber nach jenen, in welchen
sich der mathematische Scharfsinn bei der Entschleierung der Natur-
geheimnisse kundgibt. Allein wenn wir nur die Wahl hätten zwischen
den Prophetenworten des Alten und Neuen Testamentes und den Philo-
sophenreden über Gott und Christus, um die Traggründe für unsern
religiösen Glauben auszulesen, da könnten wir keinen Augenblick unent-
schieden sein.

Und wer will uns diese Haltung verargen? Die Behauptung, die
neuere Philosophie habe das Wesen der Religion an der Wurzel erfaßt
und in der Philosophie sei einheitlich angelegt, was die jüngste Beurteilung der christlichen Religion als vollentwickeltes Resultat vorlegen
dürfe, ist doch wahrlich nichts als der Ausdruck eines Wunsches, daß
dem so sein möchte! Tatsächlich ist die Philosophie, die mit ihren
skeptischen, sensualistischen, kritischen, idealistischen, materialistischen
Anläufen sich in unausgeglichenen Widersprüchen bewegt, am allerwenigsten auf dem Gebiete der religiösen Fragen zu Ergebnissen ge-

kommen, die auf den Wert wissenschaftlicher Erkenntnis Anspruch machen dürften[1].

Das Dogma des jüngsten Christentums, ob seine Verfechter nach der Geschichte, ob sie nach der Philosophie Ausschau halten, stellt sich als eine Sache des Glaubens heraus. Erzeugnis eines Gelehrtenglaubens ist es, das schwankende Gebilde eines Schulglaubens. Nehmen wir die Neueren beim Worte, dann ist ihr Glaube nur Gefühlssache. Nicht ein erkanntes, begrifflich umschriebenes Ziel der Sehnsucht steht vor dem Betrachter, sondern ein Schattending, dem man den Namen von Jesus Christus anzuheften bemüht ist, schwebt vor den wechselnden Ahnungen eines rein subjektiven Wertempfindens hin und her, vor den Aspirationen des Gefühls, auf dessen dunkeln Gründen die moderne Psychologie den einzigen Quell der sittlichen, künstlerischen, religiösen Inspirationen, an welchen sich die Menschenseele entzücken kann, vermutet.

Von ernsten Beurteilern wird zugestanden, daß die Versuche, das Christentum, dessen Seele doch das umfassendste, das schlechthin allgemeingültige Prinzip des religiösen Denkens sein soll, rein aus geschichtlichen Vorbedingungen abzuleiten, fehlgeschlagen sind. Auf diesem Wege sei ebensowenig ein Ziel zu finden, als sich aus zwei partikulären Vordersätzen ein legitimer Schluß ziehen läßt. Kenntnisse sind aus der Geschichte wohl zu gewinnen, nicht jedoch die Erkenntnis. Einem denkenden Menschen aber, und besäße er zugleich die größte Glaubenswilligkeit, zumuten wollen, daß er die moderne, christlich zubenannte Religionsvorstellung für wahr nehmen soll auf Grund von widersprechenden Philosophen- und Theologenmeinungen, auf Grund von unfaßlichen Gefühlsäußerungen, das ist keine wissenschaftliche Art.

Nun wird der ganzen Sache von denen, die sie zum Abschluß führen wollen, eine neue Wendung gegeben. Gerade diese Wendung aber läßt das Dogma des jüngsten Christentums vor der eindringenden Kritik als einen unvollziehbaren Glaubenssatz erscheinen. Es handelt sich jetzt um den Begriff des Glaubens selber.

Das religiöse Glauben, erklären die Gelehrten, welche den entscheidenden Punkt heraushehen wollen, ist zwar ein Glauben, nicht aber ein Glauben auf äußere, geschichtliche Bezeugungen, auf theoretische Unter-

---

[1] Immer noch gilt die Warnung vor der φιλοσοφία καὶ κενῆ ἀπάτη κατὰ τὴν παράδοσιν τῶν ἀνθρώπων, κατὰ τὰ στοιχεῖα τοῦ κόσμου. **Kol 2, 8.**

suchungen, auf wissenschaftliche Beweise hin. Der religiöse Glaube hat lediglich innere Motive: er stammt nicht aus dem Bezirke des Verstandes und Erkennens, sondern aus dem Drange des Wollens, aus dem Hoffen und Vertrauen des Herzens. Dem Glauben einer Mutter an den guten Charakter des Sohnes ihres Herzens, dem Glauben des Volksfreundes an die Zukunft des Vaterlandes, dem Glauben des Enthusiasten an den Sieg des Ideals, dem Glauben des redlichen Mannes an sich selber und an sein gutes Recht — diesen und verwandten Gemütswallungen ist der religiöse Glaube zu vergleichen. Er ist, zumal seine geläutertste Form, das christliche Glauben, die Zuversicht des Gewissens, eine Sicherheit des Menschenherzens, das nach dem Höchsten und Reinsten verlangt. Der religiöse Glaube der Modernen bekundet sich als eine Gewißheit des Gefühls, des unmittelbaren und unverlierbaren Bewußtseins im Seeleninnern, daß der unendliche Geist die liebende Vorsehung, die waltende Vernunft, die sittliche Weltordnung, die immanente Gerechtigkeit des Weltlaufes ist. Jedem ernsten Empfinden offenbart sich so das höchste Wesen; in Christus hat seine Offenbarung den Grad der absoluten Vollkommenheit erreicht. Dem Unerforschlichen rückhaltlos anhangen, sich ihm hingeben bis zur Selbstaufopferung, das Unendliche umfassen, wie wenn es der Vater aller Seienden und zumal der Menschenvater wäre — darin hat Christus die Seinigen und durch sie die ganze Welt unterwiesen, und der Heiland hat es getan nicht so fast durch Lehren, als vielmehr durch ein von dem kraftvollsten religiösen Bewußtsein getragenes Leben, Leiden und Scheiden.

Aus dem Willen zum Guten also, heißt es und verheißt man, entsteht das Glauben an das Ideal des Guten; aus dem Drange nach der Gottheit entspringt der Gottesglaube mit allen seinen Idealen. Bewiesen kann dieser Glaube nicht werden — er läßt sich nur wagen, erleben und leben. Das religiöse Glauben ist aber doch nicht etwa gleich einer Festtagsmöglichkeit, an der sich ein unbeschäftigtes Gemüt erfreuen dürfte in feierlichen Stunden; das Glauben ist vielmehr, trotzdem daß es aller theoretischen Begründung entzogen bleibt, eine universale praktische Notwendigkeit. Denn ohne die alles versöhnende Ahnung und Hoffnung der Religion ist das Leben, weil Leben Versuchtwerden, Streiten, Dulden ist ohne Unterlaß, nicht zu ertragen.

Das letzte Wort der Verkündiger des modernen Christendogmas lautet somit: Du mußt glauben, als ob oder wie wenn Gott mit seinem unendlich weisen, seinem unendlich gütigen Walten wäre, so gewiß du die Wirklichkeit des Guten glauben mußt, und dies mußt du, weil du das Gute nicht etwa nur wollen kannst und wollen sollst, sondern weil du das Gute nicht zu wollen völlig außer stande bist. Diesen Glauben, die vollendete Gestalt des religiösen Glaubens, dessen Ursprung, Inhalt und Gegenstand für das theoretische Denken zwar ein Geheimnis, dessen Notwendigkeit aber für das praktische Denken in der Tatsache, daß die Seele seiner Seligkeit zu ihrer Selbsterhaltung bedarf, gegeben ist, hat Jesus Christus auf die Erde gebracht, der „Gottessohn", und der „Gottessohn" ist Christus, weil er die Gotteskinder die rechte Glaubensweise gelehrt hat, nämlich den rechten Wagemut des Glaubens, der sich als Anbetung des Vaters im Geist und in der Wahrheit bewährt.

Goethes Gedanke[1]: Ein Beweis für die Wahrheit des Gottes- und des Unsterblichkeitsglaubens ist in unserer Zeit entbehrlich, weil uns der Glaube selbst, als sei mit den gedachten Voraussetzungen alles im Rechten, unentbehrlich geworden — enthält also die ganze und die einzige Rechtfertigung des modernen Christentums.

Was ist endgültig von dem Dogma zu urteilen, das der Menschheit eine neue Glaubensart beschert haben will?

Auf einen prinzipiellen Mangel an der neuen Auffassung ist vor allem hinzuweisen. Es soll, versichern die Modernen wieder und wieder, nicht ein unerhört neuer Glaubensinhalt vorgelegt, es soll ja der Gehalt der Menschheitsreligion, der an sich allen zugänglich sein muß, herausgestellt werden. Das Mißliche nun aber ist dies, daß die neuere Gelehrsamkeit, ernstlich bemüht, den Fehler, wie sie sagen, des alten Formelwesens zu vermeiden, auf die genauere inhaltliche Bestimmung der Religion, ihres Gegenstandes und ihrer Gegenstände, nicht eingeht. Die „fides quae credenda" soll heute, da die Vielheit starrer Dogmata, starrer Symbola

---

[1] „Die Periode des Zweifels", sagt Goethe bei Eckermann, Gespräche II 104 (Reclam), „ist vorüber; es zweifelt jetzt so wenig jemand an sich selber als an Gott. Zudem sind die Natur Gottes, die Unsterblichkeit, das Wesen unserer Seele und ihr Zusammenhang mit dem Körper ewige Probleme, worin uns die Philosophen nicht weiter bringen . . . Kant hat unstreitig am meisten genützt, indem er die Grenzen zog, wie weit der menschliche Geist zu dringen fähig sei, und daß er die unauflöslichen Probleme liegen ließ. Was hat man nicht alles über Unsterblichkeit philosophiert! Und wie weit ist man gekommen? Ich zweifle nicht an unserer Fortdauer; denn die Natur kann die Entelechie — Goethe nimmt den aristotelischen Ausdruck, der, wie Trendelenburg sagt, statum rei ex actu exortum significat, nicht ganz richtig im Sinne von unzerstörbarer Seinskraft — nicht entbehren. Aber wir sind nicht auf gleiche Weise unsterblich, und um sich künftig als große Entelechie zu manifestieren, muß man auch eine sein."

abgetan sei, nicht wieder in blutlose, knöcherne Schemata gebannt werden; ansonst könnte das neue Übel schlimmer werden, als das alte gewesen. Dem echten Christen soll es genügen, recht-gläubig zu sein; die Recht-Gläubigkeit nach dem alten Stile kommt für ihn nicht mehr in Betracht.

Selbstverständlich ist die Sache mit dem Wortspiel nicht erledigt. Aber gerade weil der Inhalt des neuen Glaubens sehr schwer zu geben ist — gleichgültig aber kann der Inhalt wahrlich nicht sein —, läßt man ihn hinter der Erörterung der neuen Glaubensart, der fides quâ credendum, zurücktreten, und es will den Anschein gewinnen, als ob aus der Auseinandersetzung darüber, wie das religiöse Menschengemüt glaubt oder zu glauben hat, klar werden soll, was letztlich zu glauben ist. Die Einstellung aber der psychologischen Funktion des Glaubens für sein reales Objekt ist ein überaus verhängnisvoller Fehler, der Fehler des wehrlosen religiösen Subjektivismus (Solipsismus).

Mit Bezug auf die neue Glaubensart wird denn wohl zunächst an die Ironie des Dichters zu erinnern sein: „Der Kant hat sie alle verwirret!" Immanuel Kant ist nämlich nicht der Erfinder des neuen Glaubensbegriffes, aber sein klassischer Bearbeiter. Und nun liegt die Sache wieder so: den neuen Glaubens- und Religionsbegriff auf das Ansehen Kants hin annehmen und noch dafürhalten, daß Christus die Kantsche Vorstellung präformiert und sie, den Jahrhunderten vorgreifend, als das Unübertreffliche sanktioniert habe, das wäre sicherlich nicht ein Verfahren der reinen Wissenschaft. Aber wir müssen weiter gehen. Christus und das Christentum der Geschichte haben mit dem Kantschen Glaubensbegriff nichts zu schaffen: dieser beruht vielmehr auf einer unvollziehbaren Vorstellung.

Der Gottesglaube mag, wie das Glauben an das Edle, ein schöner Glaube heißen. Es mag beteuert werden, daß der Glaube pflichtmäßig, praktisch und moralisch notwendig sei für die Existenz des Menschen, für den Bestand der menschlichen Gesellschaft; es mag die Versicherung erneuert werden, daß des Glaubens Segen und Seligkeit die Verklärung aller irdischen Verhältnisse sowie der tröstende Glanz sei, der in das Dunkel der Zukunft und in das Dunkel des Jenseits fällt. Den Idealismus in Ehren! Aber kann die Schönheit des religiösen Glaubens und die behauptete Unentbehrlichkeit seines Segens aus sich allein die Gewähr bieten für seine Richtigkeit? Wie soll das Denken davon überzeugt werden? Ist es Ernst mit dem Kantschen Axiom, daß in Religionsdingen die theoretische Vernunft, das Vermögen des wissenden Denkens und des denkenden Wissens, schlechterdings urteilslos sei: wie, woran soll dann erkannt werden — nicht eben bloß wieder geglaubt werden —, daß der schöne Glaube sich unterscheidet von einem schönen Wahne?

Ein junger Mann muß erleben, daß er sich keine Existenz schaffen kann, wenn er nicht dartut, daß er ehrlicher Eltern Sohn ist. Die Mittel, den erforderlichen Beweis zu erbringen, versagen gänzlich. Nun wird der Bedrängte aufmerksam gemacht, daß nach der Überzeugung aller die kindliche Pietät dem Menschen gebietet, sich so zu halten, als wäre der Leumund seiner entschlafenen Eltern rechtschaffen gewesen. Angefügt wird noch, der entschlossene Wille, der Pflicht der Pietät zu genügen, schaffe dem tugendhaften Sohne den Glauben an die Tugend der Eltern, und dieser Glaube, zumal wenn jeglicher Gegengrund wider seine Zulässigkeit wegfalle, verbürge das Glück der Kinder. Vermag die Glaubenskraft eines Sohnes, dessen kindliche Gesinnung sich in der Form des pietätvollsten Pflichtgefühls kundgibt, vermag der entschlossen durchgeführte und von allen Guten bewunderte Wille des Sohnes, nur gut von den Eltern zu denken, die Frage zu entscheiden, ob die Eltern gut gewesen? Vermag der höchste Idealismus den Beweis oder den Ersatz des Beweises zu liefern, daß die Eltern gut gewesen? Ist das Glück des jungen Mannes gemacht und jede Störung seines Glückes durch unberechenbare Schickungen ausgeschlossen, wenn er sich wirklich so gibt, als sei er ehrlicher Leute Kind?

Ähnlich wie mit dem Glauben, der einem braven Sohne die Überzeugung von der Rechtschaffenheit seiner Eltern, selbst ohne Beweisinstrumente, zum idealen Besitztum werden lassen will, steht es mit dem Religionsglauben derer, welche, bewußt oder unbewußt, an Immanuel Kant ihren Meister haben. Der Kritiker der menschlichen Vernunft versichert jeden, daß dem Vernünftigen das Gefühl, das unmittelbare Bewußtsein des unbedingten Sollens der Pflicht gegenüber gebiete: Du mußt den Gesetzen des Sittlichguten folgen, als ob sie der Ausdruck göttlichen Wollens wären; willst du der Würde deines Wesens nicht ungetreu, dem Bedürfnisse deiner praktischen Einsicht nicht entgegen sein, so mußt du glauben, handeln, hoffen, wie wenn Gott wäre; die Festigkeit des Glaubens — das macht gerade seine Kraft, seinen Adel und seinen Wert aus — muß dir unerschütterlich bleiben, obgleich die theoretische Einsicht so wenig, als das „Ding an sich" wahrzunehmen ist, einen festen Grund aufweisen kann, daß Gott, das höchste Gut, der absolut Gute, wirklich existiert.

Den Glauben mithin, nicht daß etwas ist, sondern als ob oder wie wenn es wäre, so schließt die Weisheit des Kantianismus, den neuen Glauben, der nicht ein Fürwahrhalten auf Erkenntnisgründe hin, sondern eine Forderung des Willens, eine Vorausnahme des ahnenden Gemütes ist, muß der Mensch hegen. Das ist den Sterblichen unerläßlich, soll nicht der Zwiespalt zwischen dem Besitz eines Wissens, das auf die Welt geht und auf Grund der Erfahrung möglich ist, und dem Verlangen nach einem Wissen, das auf den Weltgrund zielt und, weil über jede Erfahrung hinausgreifend, unmöglich ist, unsere Natur zerreißen.

Der Aufstellung wird noch eine Verschärfung hinzugefügt. Der Gläubige soll bedenken, daß jeder Versuch, eine theoretische Begründung für die objektive Richtigkeit des Glaubensinhaltes in Religionssachen auszumitteln, eine Schwächung der Freudigkeit und des Wagemutes, eine Lähmung der Schwungkraft, kurz eine Herabminderung der Eigenschaften wäre, die die Glaubensenergie zu dem machen, was sie ist, und welche die Fülle der Tröstungen verbürgen, die in der Zuversicht des Glaubens allein gegeben sind. Mit dieser Zuspitzung des Kantschen Glaubensbegriffes will man den Anschluß an die Vorstellung Martin Luthers gefunden haben. Ist es der Reformator doch, der die Ergreifung des Heilsgutes, der Gerechtigkeit Christi, und die Gewinnung der Heilsgewißheit ausschließlich durch das Glauben des Sünders (sola fide) für möglich erklärt! Kant habe somit in der Philosophie, wird gesagt, genauer in der rationalen Religionslehre, denselben Weg beschritten, den Luther in der Religion, genauer in der Religionsübung, gewiesen habe. Darum sei Kant „der Philosoph des Protestantismus"; der Protestantismus aber sei „die dem Evangelium am meisten entsprechende Form des Christentums, welche die Geschichte bisher gezeitigt" habe[1].

---

[1] Vgl. Julius Kaftan, Kant der Philosoph des Protestantismus (Rede, 1904). Friedrich Paulsen, Einleitung in die Philosophie[13] (1904) 325 ff; dazu: Immanuel Kant, sein Leben und seine Lehre[4] (1904), und der Aufsatz: Kant der Philosoph des Protestantismus (in „Philosophia militans"). — Wir sind überzeugt (Vaticanum, sess. III, 3 de fide; III, 4 de fide et ratione): Nicht wenn und weil eine Philosophie für uns, für den Glaubensstandpunkt brauchbar ist, erweist sie sich als wahr, sondern wenn und weil eine Philosophie als wahr erweisbar ist, dann und darum allein ist sie für den Glauben und den Erweis seiner Wahrheit brauchbar. Recta ratio fidei fundamenta demonstrat. Kants „Religion innerhalb der Grenzen der bloßen Vernunft" dagegen steht in schroffstem Gegensatze zu den christlichen Grunddogmen (Trinität, Gottheit Christi, evangelische Erlösungslehre usw.). Wenn Kant recht hat, dann läßt sich das Christentum philosophisch, rational gar nicht behandeln; wenn das Christentum recht hat, dann läßt sich die Kantsche Philosophie nicht christianisieren.

Diese Proklamierung tut, nebenbei bemerkt, weder dem Protestantismus, wenn er als Konfession genommen wird, noch der Philosophie
Kants einen Dienst. Die religiöse Konfession wird, wenn sie auf Ge-
deihen und Verderben an ein philosophisches System gewiesen wird, der
Hilflosigkeit geziehen; der Philosophie aber, die auf eine Konfession ge-
stützt wird, ist die Vorbedingung ihrer Existenzberechtigung, die wissenschaftliche Vorurteilslosigkeit abgesprochen.

Doch — was ist es um den Kantschen Glaubensbegriff, mit welchem
das Dogma des jüngsten Christentums steht und fällt?

Das religiöse Glauben der Modernen ist weit mißlicher daran als
der Glaube des Sohnes, dem nach unserem Beispiel Gemüt und Wille
den Beweis von der Tugend seiner Eltern schaffen oder ersetzen sollten.
Keine Macht der Welt kann allein durch die Kraft eines Pietätsglaubens,
der sich benimmt, als wäre der Ruf der Eltern tadellos, diesen Ruf zu
etwas Unfraglichem machen. Vermag aber der Sohn auch keine zweifel-
freie Sicherheit in Bezug auf ein Prädikat seiner Eltern zu gewinnen,
eines weiß er immerhin mit Bestimmtheit, nämlich daß die Eltern gelebt
haben. Dem Anhänger dagegen des neuen Dogmas bleibt nicht bloß ein
Prädikat Gottes, die Vatersorgfalt, sondern das Sein Gottes selber durchaus zweifelhaft, weil durchaus unbeweisbar. Denn mit Unerbittlichkeit
hält der Verstand dem Gemüte, das sich in die Zuversicht hineinzuleben
sucht, als wenn alles wäre, wie sein Glauben glaubt, die kalte Frage
gegenüber: Wenn es aber nicht so wäre? Die Frage kann von der
Glaubenswilligkeit wohl überhört, nicht jedoch weggeschafft werden, und
wenn das theoretische Wissen in die religiösen Fragen auf keine Weise
eingreifen kann, dann ist der Zweifel, der unablässig bemüht ist, den
Grund des Glaubens zu unterwühlen, eben nicht abzutun. Denn wie soll
des Zweifels Grundlosigkeit in unbezweifelbarer Form dargetan werden?
Und wie soll die Freudigkeit des Glaubens nicht wehrlos der Furcht
zum Raube werden?

Unbestreitbar ist es also, daß die Aufstellung des Kantschen Glaubensbegriffes ihr Ziel zu wahren außer stande ist. Die Sicherheit eines Glaubens,
der gänzlich außerhalb der menschlichen Erkenntnissphäre sich bewegen,
der allein das Erzeugnis des Wollens und Fühlens, der Niederschlag im
ahnenden und hoffenden Menschengemüte sein soll, beruht auf einer
bloßen Versicherung, und keine Gelehrsamkeit vermag eine Fata Morgana
in wirklichen Felsengrund umzuschaffen. Es ist eine Selbsttäuschung,

über deren Ausbreitung man sich verwundern darf, wenn die Verfechter des neuen Religionsbegriffes auf den Agnostizismus der nach Immanuel Kant benannten Philosophie bauen. Oder kann das Geständnis: Ich weiß nichts von Gott, weil kein Verstand der Verständigen von dem Unerforschlichen etwas zu wissen vermag — das Bekenntnis des Herzens und Willens wirklich tragen: Ich glaube den Allguten, lebe, handle, hoffe, wie wenn ich wüßte, daß er der Vater des Universums ist, als ob ich ihn, den Unendlichen, im Heiligtum meiner Seele, dem Gemüte, gegenwärtig schauen, lebendig empfinden dürfte!?

Die Ziellosigkeit des jüngsten Religionsdogmas stellt ans Licht, daß das Dogma an einem inneren Gebrechen leidet. Das ist seine psychologische Unmöglichkeit. Der Drang des Wollens, das Bangen und Verlangen des Gefühls nach etwas Unsagbarem soll dem erwachenden Bewußtsein, dem tastenden Erkennen offenbaren, daß das Unsagbare das Gute, der Gute ist, und daß überdies der unsagbar Gute nicht ein bloßes Gedankending, ein Wunschgebilde in der Seele, sondern daß er außerhalb vom Glaubenden und zwar in absoluter Seinsform wirklich ist. Wie kann aber der blinde Drang in der Menschenbrust dem Wissenstrieb Offenbarungen geben über die wesentlichen Eigenschaften und Tätigkeiten und über die Existenzweise Gottes? Wie kann das blinde Verlangen ein sehendes Glauben erzeugen?

Die Kantsche Vorstellung vom religiösen Glauben läuft mit nachfolgender Reihe von Unterstellungen in eins zusammen. Einem Blindgebornen entsteht aus dem Umhertasten mit Händen und Füßen das Gefühl, die Ahnung, er vermöge in gerader Richtung zu gehen. Aus dem ahnenden Gefühl entspringt der Glaube des Blinden, ihm sei, wie wenn er sich in der rechten Richtung schreitend selber erblickte. Der Glaube bringt dem Blinden die Tröstung, ihm sei, wie wenn er ein Richtziel seiner Gehversuche wahrnähme. Endlich bewirkt die Trostempfindung dem Blinden die Gewißheit, als ob das Ziel, und zwar in der realen Existenzform eines alle Bewegungen richtenden absoluten Etwas, als farbigsichtbare Gestalt vor seinem offenen Auge lebe. Und das alles soll nicht ein frommer Wunsch, nicht eine schöne Einbildung des Blindgebornen, sondern die durch seinen inneren Sinn, durch die Energie seines Glaubenssinnes ihm aufgetane (transzendente) Wirklichkeit sein?[1]

---

[1] Interessant ist die Kritik, die W. James (The Varieties of Religious Experience 55) an dem Glaubensbegriffe bei Kant übt. "This particulary uncouth part of his phi-

Dementgegen wird die kalte Logik ihr Entweder-Oder geltend machen. Entweder geht dem drängenden Wollen, dem sehnenden Ahnen des Menschengemütes ein sehendes Wissen, ein prüfendes Schließen zur Seite, und es zeigt dem Wollen und Ahnen ein höchstes Ziel; diesem aber legt das folgerichtige Beweisen nach dem Gesetze der Kausalität, auf objektive Erkenntnisgründe hin, die Eigenschaften Gottes bei. Dann ist die Kantsche Vorstellung vom Glauben und damit das Dogma des jüngsten Christentums, wonach die Religion ausschließlich Willens- und Herzenssache und, weil Bedürfnis der praktischen Vernunft, einer theoretischen Begründung weder benötigt noch mit einer solchen verträglich sein soll, als unerfüllbare Zumutung abzulehnen. Oder das Kantsche Philosophem und das Dogma des jüngsten Christentums wird festgehalten, aller Logik zum Trotz. Dann ist der Weisheit letzter Schluß die Meinung: das Verhalten des religiösen Gemütes, das sein Ringen nach einem unbestimmten Punkte hin mit dem Erringen eines Zieles, sein bloßes Verlangen mit etwas Verlangtem, sein Gefühl für den „unbekannten Gott" mit dem Glauben an den wahren Gott [1], den Glauben an das Sein Gottes mit dem Sein Gottes selbst verwechselt — dies Verhalten muß von uns als die sinnwidrige Natureinrichtung unseres Wesens einfach hingenommen werden, und in diesem Sachverhalt eben besteht das Geheimnis der religiösen Anlagen in jedem Menschen [2].

---

losophy" besagt: „Our conceptions always require a sense-content to work with, and as the words 'Soul', 'God', 'Immortality' cover no distinctive sense-content whatever, it follows that theoretically speaking they are words devoid of any significance. Yet strangely enough, they have a definite meaning for our practice. We can act as if there were a God; feel as if we were free; consider Nature as if she were full of special designs; lay plans as if we were to be immortal: and we find than that these words do make a genuine difference in our moral life. Our faith that these unintelligible objects actually exist proves thus to be a full equivalent in praktischer Hinsicht, as Kant calls it, or from the point of view of our action, for a knowledge of what they might be, in case we were permitted positively to conceive them. So we have the strange phenomenon, as Kant assures us, of a mind believing with all its strength in the real presence of a set of things of no one of which it can form any notion whatsoever."

[1] Apg 17, 23: Unter den „σεβάσματα" der Athener fand Paulus einen Altar mit der Inschrift: „ἀγνώστῳ θεῷ". Die modernste Religionsauffassung müßte an der Aufschrift nicht bloß den bestimmten Artikel, sondern auch das Substantivum θεῷ weglassen. „Unerforschliches still verehren! Erbeben vor dem Unbekannten und lieben seinen Widerschein! . . ."

[2] Also: „Credo, non quia inscrutabile et actus credendi et res credenda, sed quia absurdum; denn inscrutabile, ergo nec demonstrabile nec scibile nec rationabile vel quoad esse vel quoad quid esse vel quoad fieri vel quoad facere." Eine seltsame Umschreibung dieser Formeln gibt z. B. Fr. Niebergall (Welches ist die beste Re-

Der philosophisch-theologische Konstruktionsversuch, den die Anhänger eines freien Christentums machen, ist wegen seines hoffnungslosen methodischen Fehlers undurchführbar. Welche Verwirrung und Ratlosigkeit der Fehler in inhaltlicher Beziehung weiter anrichtet, sei nur an einem Punkte beleuchtet! Es ist freilich der Hauptpunkt der Religion und aller Religionswissenschaft, der Gottesbegriff. Wer ist Gott? Was ist die Gottheit?

Bezeichnend ist, daß die moderne Forschung auf die Kardinalfrage nach dem Wesen von Religion und Christentum eine eindeutige Antwort zu geben nicht wagt. Von untergeordneten Einzelheiten abgesehen,

---

ligion? Religionsgeschichtliche Volksbücher V 1, 66 f): In Religionssachen steht alles „auf einer ganz persönlichen Entscheidung, nicht auf einem sachlichen Beweis. Abgesehen davon, daß ein logischer Schluß nicht möglich ist, hätte er auch gar keinen Wert, weil für uns im Mittelpunkt des Christentums nicht der wissenschaftliche Satz, sondern das praktische Interesse steht. Das eignet man sich nicht auf dem Wege eines Schlusses, sondern auf dem eines Entschlusses an. Nur durch diese entschlossene Aneignung kann man sich auch von dem wirklich tatsächlichen Vorhandensein der jenem Interesse entsprechenden Werte überzeugen. Diese Aneignung der christlichen Lebensauffassung ,auf Probe' wird zu einer gewissen Überzeugung führen, wenn man sein Leben in ihrem Sinne führt und in dem Gewinne von innerer Harmonie und Kraft das beste oder einzige Kennzeichen der Wahrheit erlebt." Mithin wäre das modern-christliche Glauben, nämlich „die Fähigkeit, die höchsten Erlebnisse und Inhalte auf einen hinter den erfahrbaren Geschehnissen und Dingen liegenden persönlichen Hintergrund zu beziehen" — doch eben nur ein frommer Sprung ins Dunkle. Auch Darlegungen, die viel ernster zu nehmen sind als die vorstehenden, wissen kaum mehr anzuraten als den „frommen Sprung" der modernen Religionspsychologie. „Die Menschheit gebraucht verschiedene Namen", meint E. W. Mayer-Straßburg (Das psychologische Wesen der Religion und die Religionen 1906, 10), „um den Inbegriff der Faktoren zu bezeichnen, von denen der Erfolg des menschlichen Lebens abhängt. Der eine bezeichnet die den Weltlauf bestimmende Macht wohl in populärer Sprache als das Schicksal. Ein anderer nennt sie das Naturgesetz, und denkt dabei an ein blindes Naturgesetz. Ein dritter nennt sie kurzweg das Universum oder mit Spinoza die Substanz. Ein vierter bezeichnet sie mit wissenschaftlicher Vorsicht als ‚the Unknowable‘, als das Unerforschliche. Der religiöse Mensch wagt es, diese Macht Gott zu nennen." Man kann freilich mit gutem Sinn sagen: „Sapere aude!" Doch ist Rat und Rede nur verständlich, wenn der Sprechende sich an jemand wendet, der weiß, was „sapere" ist, was „aude" heißt. So kann auch nur derjenige, dessen Vernunfterkennen vor allem Glauben etwas von Gott weiß, und zwar mit beweisbarer Sicherheit, das „Wagnis", die „Probe" eines höheren Glaubens machen. Goethes Satz: „Der Glaube ist nicht der Anfang, sondern das Ende alles Wissens" — steht freilich mit seiner durch Eckermann überlieferten Äußerung über die Unnötigkeit eines Gottesbeweises im Widerspruch, dafür aber mit der richtigen Seelenkunde und mit einer Grundüberzeugung des katholisch-kirchlichen Lehrsystems in vollem Einklang, mit dem Satze nämlich, der den schwärmerischen Traditionalismus verurteilt: „Rationis usus fidem praecedit et ad eam hominem ope revelationis et gratiae conducit." Allem „Voluntarismus" und „Fideismus" gegenüber wird das paulinische Wort: „οἶδα γὰρ ᾧ πεπίστευκα" ein unerschütterliches Axiom der echten Psychologie bleiben. 2 Tim 1, 12; 2, 2; 3, 14.

Braig, Vom Wesen des Christentums.

wissen sich die Modernen in Bezug auf den springenden Punkt nicht entschieden auszusprechen, in Bezug nämlich auf den unaufhebbaren Gegensatz zwischen Monismus und Monotheismus. Ist der Mensch ein Wesensstück der Gottheit, im Vergleich zu den übrigen Seienden das vornehmste, so daß er im Pulsschlag seines Herzens die Erregungswelle des Unendlichen spüren, in dem Gedanken, der das Gehirn durchblitzt, das Leuchten des göttlichen Bewußtseins selber gewahren darf? Oder ist der Mensch Gottes Werk, von dem Willen seines Urhebers ins Dasein gerufen und mit der Kraft ausgerüstet, als selbständige Persönlichkeit zu dauern, zu denken, zu wollen, zu werten nach den Gesetzen und Ideen, die der Ewige den durch die Zeiten wandelnden Wesen als unvergängliche Mitgift eingeschaffen hat?

Man kann oft auf zaghafte Bemerkungen stoßen wie diese: eine Entscheidung der Frage: Monismus oder Monotheismus? sei dem Sterblichen verwehrt, und eigentlich brauchten wir uns darob nicht weiter zu kümmern[1]. Solch eine Haltung aber wäre alles, nur nicht wissenschaftlich. Es ist nicht gleichgültig, ob der Mensch sich als unvermeidliches und unverantwortliches Erzeugnis der Allmutter Natur oder als das frei gesetzte, frei sich bestimmende, für sein Tun und Lassen selbst eintretende Geschöpf dessen ansieht, der der Herr der Natur ist. Unser Seinsverhältnis ist nun einmal nicht das gleiche für beide Fälle, und unser Denken kann dem Erkenntnisfähigen beweisen, daß, wenn und weil der eine Fall — εἷς ὁ μόνος θεός — richtig ist, der andere — ἓν καὶ πᾶν θεός — unmöglich ist.

Die Entscheidung geben über die Frage, die doch die Lebensfrage für alle Menschen ist und dies für alle Zeiten bleibt, über die Frage: Sein oder Nichtsein des persönlichen Gottes? — das vermag neben dem logischen Denken und ohne das theoretische Erkennen keine Kraft, weder innerhalb noch außerhalb der Menschenseele. Das vermag kein irrationaler Gefühlsglaube, kein Sichstrecken des vernunftlosen Willens, noch die irrationale Erregung von Gefühlswallungen oder die bloß „praktische" Reizung blinden Verlangens in der Seele durch irgend welchen Einfluß.

Die Phantasie mag sich gefallen in Bilderreden. Es mag das Menschengemüt einer Sphinx verglichen werden. Die Zauberin kann

---

[1] Eckermann II 104. Bekannt ist Langes Spruch: „Es scheint fast Geschmackssache (!!), ob man das Maskulinum ‚Gott‘ oder das Femininum ‚Natur‘ oder das Neutrum ‚All‘ verehrt. Die Gefühle sind dieselben, und selbst die Vorstellungsweise für den Gegenstand dieser Gefühle unterscheidet sich nicht wesentlich." Geschichte des Materialismus (Schlußkapitel).

nicht bloß Rätsel aufgeben; sie kann auch den Versuch anstellen, dem Unerfahrenen, der ohne ein Minimum vorausgängigen Wissens um irgend einen Glaubensgrund, ohne jegliches prüfende Rechnen, sich zum leeren Glauben hergeben wollte, einen Widersinn einzureden. Der Widersinn aber würde lauten: Für den Menschen, dessen Religiosität in der Empfindung lebt, daß sein Sein von etwas Unerforschlichem abhängt, ist es völlig einerlei, ob er die bewußtlose Nährerin Natur oder Gott über der Natur als das Unerforschliche nimmt; dem religiösen Empfinden ist das nur wesentlich, daß der Mensch mit unerschütterlicher Zuversicht zu leben wagt, wie wenn, als ob für alle seine Bedürfnisse und für jeden seiner Wünsche immer schon vorgesorgt wäre — und zwar so, daß es unmöglich, aber auch unnötig ist, das Wesen des Sorgenden und die Weise des Sorgens genauer zu beschreiben oder Wesen und Weise dem Begreifen des menschlichen Verstandes näher zu bringen.

Solch eine Rede hätte mit Wissenschaft nichts zu tun und von grauer Theorie nichts an sich: sie wäre dem Märchenschatze des Agnostizismus entnommen. Die Rede kennzeichnet die Konstruktion der modernen Religionswissenschaft, die wir das Dogma des jüngsten, des vom alten positiven Christusdogma freien Christentums genannt haben. Die Konstruktion selbst und auch ihr Unterbau, die Vorstellung nämlich von der Religion und dem Religionsglauben nach dem Philosophem der Kantschen Schule, wird durch das agnostische Märchenwort in ein grelles Licht gesetzt.

Hätte Jesus Christus das Wesen der Religion so bestimmt, wie die Vertreter des jüngsten Christentums es versuchen; wäre der Inhalt des Evangeliums im letzten Grunde nur das und genau das, was die Modernen als den Gehalt der Menschheitsreligion, der Religion in den Religionen ausgeben: was hätte da die Botschaft des Propheten aus Nazareth der Welt gebracht? Ein Satz und eine Versicherung würden den Kern des „Christentums Christi" ganz ausmachen.

Der Satz würde das auf den modernen Ausdruck gebrachte Bekenntnis sein: Nun hätt' ich von jeder der vier Fakultäten jedes Titelchen durchstudiert — was jetzt? Ich sehe, daß wir nichts wissen können! Christus hat auch nicht mehr gewußt!

Die Versicherung aber würde dem ratlos Suchenden folgendes sagen. Du brauchst dich nur einzurichten, als ob du vom ahnenden Gemüt belehrt wärest über alles, was keinem Verstande zugänglich ist, als ob du den Gott deiner Seele lebendig in dir erfahren hättest, als ob du empfändest, daß dein Gott der Allumfasser und Allerhalter ist. Dann folgst du dem Zuge deiner Natur, und ihr bestes Teil, deine Glaubenskraft, ersetzt nicht bloß den Mangel des Verstandeswissens, sondern die Kraft wiegt alles Stückwerk des Erkennens auf durch einen überschwenglichen Trost. Der Trost aber entspringt dir aus dem Ernst und dem Mute, womit du zu glauben und zu hoffen wagst, als ob das höchste Gut, dessen Sein du niemals begründen, dessen Wesen du niemals ergründen magst, dir und allen Wesen wirklich sei, für dein und aller Wesen Heil wirksam sei mit ewiger Liebe. So hat Christus geglaubt, und so hat er die Welt zu glauben angewiesen!

In der Tat! Die moderne „Jesusverehrung" weiß sich nicht genug zu tun im Preise der Erhabenheit, welche die Bewunderung an Christi Person, an seiner einzigartigen Begabung und Geistesgröße, zumal an seiner aller Welt verkündigten und vorgelebten Sittenlehre findet. Werden aber die Lobeserhebungen durch die ungeblendete Kritik in Abzug gebracht, dann bleibt als Rest vom Evangelium Jesu nach modernem Verständnis das Axiom des Agnostizismus einerseits und anderseits die Losung des Glaubensidealismus übrig: Gott und die Seele — Vater und Kind! Die freie Wissenschaft läßt nicht den geringsten Zweifel, daß nach ihrer Überzeugung nur der „Vater" in das Evangelium hineingehöre, nicht auch der „Sohn", der Bringer der Botschaft. Mit andern Worten, die freie Forschung lehnt die positiven Dogmen der christlichen Kirchen, deren Summe das Apostolische Glaubensbekenntnis ist, schlechtweg ab. Christus ist der Forschung ein Mensch wie die andern Adamssöhne, der Art nach ihnen gleich, wenn auch einzig in seiner Individualität. Insbesondere wird betont, daß Christus als ein geistig und sittlich fehlbares Wesen, wie jeder andere Sterbliche, zu nehmen sei. Folglich vermochte Christus sowenig wie irgend ein Staubgeborner die Grenze der Menschennatur hinauszurücken. Namentlich war er außer stande, seinen Gottes- und Vaterglauben als die einzige, die wahre Gotteserkenntnis aufzuweisen. Es ist nirgends in den modern erklärten Evangelien mit wissenschaftlicher Evidenz die Frage gelöst, ob der monotheistische oder der monistische Begriff vom Ewigen der objektiv richtige ist.

Allerdings — so wird von den meisten neueren Richtungen, mögen sie sonst einander schroff widersprechen, beteuert — die Energie seines

Gottes- und Vaterglaubens hat Jesus Christus der Welt als wunderbare Arznei hinterlassen, und sie hat der Menschheit die Genesung gebracht. Das ist die Segenswirkung des „christlichen Prinzips", und die Vertreter der freien Forschung, die bis zum äußersten gehen, unterlassen nicht, anzumerken, daß das „christliche Prinzip" in Geltung bliebe, selbst wenn die Wissenschaft eines Tages sich genötigt fände, einzuräumen, daß eine Persönlichkeit Jesus Christus gar nicht gelebt habe. Nicht eine Person, durch die das „christliche Prinzip", der zeitlose Kern der evangelischen Verkündigung, auf Erden bekannt gemacht worden, sondern dieses Prinzip selber, das sich im Laufe der Menschheitsentwicklung durchgesetzt hätte, wäre dann eben der „Welterlöser", der „Heiland" des Menschengeschlechtes[1].

Doch sehen wir von dem Äußersten ab! Sogar die freiesten unter den modernen Gelehrten bekennen immerhin, daß für die Geschichtswissenschaft keine Aussicht sei, die Meinung, Jesus habe nicht gelebt, glaubhaft zu machen. Also Christus hat gelebt, und die Jahrbücher der Weltgeschichte sagen von ihm: Kein Mann unter den Milliarden, die über die Erdenbühne gegangen, ward und wird so geliebt, ward und wird so gehaßt wie der Sohn des Zimmermanns aus Nazareth. Er spielt durch sein Wort und seine Tat, welche die heißeste Verehrung und den heißesten Widerspruch wecken bis auf den gegenwärtigen Augenblick, die Rolle in der Weltgeschichte, die sonst von keinem Menschen, und wär' er der geistesgewaltigste, der willensmächtigste, der tatenkühnste, gespielt worden ist noch gespielt werden kann.

---

[1] Vgl. unter den Neuesten P. W. Schmiedel-Zürich (Die Person Jesu im Streite der Gegenwart. Vortrag bei der 17. Hauptversammlung des schweizerischen Vereins für freies Christentum zu Chur am 11. Juni 1906): „Für meine Person wende ich auf Jesus nicht einmal das Wort an, er sei einzigartig; denn entweder sagt es gar nichts, insofern jeder Mensch einzigartig ist, oder es läßt sich so verstehen, daß es zuviel sagt. Meinem innersten religiösen Besitz würde kein Schaden geschehen, wenn ich mich heute überzeugen müßte, daß Jesus gar nicht gelebt habe. Vermissen würde ich es freilich, daß ich nicht zu ihm als einem wirklichen Menschen zurück- und emporblicken könnte; aber wissen würde ich doch, daß ich das Maß von Frömmigkeit, das längst mein Eigentum geworden ist, nicht deshalb wieder verlieren kann, weil ich es nicht mehr von ihm herleiten dürfte. Ja, ich könnte eine Klärung der Frage, worauf sich eigentlich unser Gottesglaube gründe, davon erwarten, wenn es eines Tages ganz unglaubhaft würde, daß Jesus gelebt hat. Aber als Geschichtsforscher kann ich nur sagen, daß dazu keine Aussicht ist" (S. 29). Schmiedel fügt noch an, daß es seinen religiösen Besitz auch nicht stören würde, wenn Jesus, wegen seines Anspruches auf die Messiaswürde, wirklich als Schwärmer genommen, oder wenn er nicht als ein vollkommenes Vorbild betrachtet werden müßte (doch bis jetzt hat man noch niemanden gezeigt, der auf Jesu eigentlichem Gebiete größer wäre als er) u. ä.

Hätte die Welt Jesu Christo für das Philosophem, für das Dogma des jüngsten Christentums, lediglich wegen dieses Philosophems und Dogmas, nun wohl Tempel gebaut, in denen die Nationen anbeten und opfern, vor deren Altären die Großen der Erde im Staube knien, die Mühseligen und Beladenen Erquickung suchen, die Schuldbedrückten Gewissenserleichterung finden, die Lebenden Kraft, die Sterbenden Trost empfangen und alle, alle, die da glauben und lieben, den Lebensodem der Hoffnung atmen? Aber lieben und glauben müssen sie, indessen nicht so, wie die Männer des jüngsten Christentums lehren, sondern so, wie Jesus Christus selbst gelehrt hat!

Ist es denkbar, keiner unter allen den Begeisterten, die für Jesu Person, Wort und Tat glühten und in der ersten Glut zu sterben bereit waren, sollte je bei nüchternem Überlegen dahinter gekommen sein, daß in dem Evangelium des Nazareners, so wie es nach dem Modernismus das echte wäre, der trostlose Gegensatz zwischen Wissenwollen und Glaubendürfen, zwischen Nichtwissenkönnen und Glaubensollen, nicht gehoben, sondern zum Glaubensprinzip erhoben ist? Ist es denkbar, keinem der Widersacher des Christentums sollte es je gelingen können, durch die Aufdeckung ihres inneren, unheilbaren Widerspruches sowohl die Jesusverehrung als die Christusreligion zu Fall zu bringen?

Das geschichtliche Christentum der alten Kirche steht und es widersteht den Jahrhunderten, und wir werden sehr wohl betonen dürfen: Mag es sich mit der weltgeschichtlichen Bedeutung Christi und seiner Stiftung auf Erden verhalten, wie es will, die moderne Auffassung vom Wesen der Religion und des Christentums gibt keinesfalls eine Erklärung dieser Bedeutung. Denn das Erklärungsmittel der Modernen, die den Paralogismus ihrer Glaubensvorstellung in die Glaubensbotschaft Christi und seiner Kirche selbst hineinverlegen, ist ein unerlaubtes Mittel.

Aber sehen wir von dem logischen bzw. antilogischen Moment ab, welches das Dogma des jüngsten Christentums als Unmöglichkeit erscheinen läßt! Betrachten wir die Versicherung der modernen Jesusverehrer für sich allein, die Beteuerung, das Christentum sei wegen der Kraft seines unüberbietbaren sittlichen Idealismus die Religion der Religionen, die absolute Offenbarung der religiösen Anlagen im Menschen! Wie ist diese Versicherung zu bewerten? Hat Christus durch sein Wort und seine Tat einen Lichtstrahl in die Menschenbrust geworfen, aus deren

Labyrinth der gottsuchende Geist nach einem Ausgange späht, was ist dann Christus der Menschheit?

Der Mann aus Nazareth mag eine religiöse Offenbarung in die Welt gebracht haben, die tatsächlich vor ihm keinem Menschen aufgegangen war. Allein da die Offenbarung doch nichts anderes gewesen sein soll und heute noch nichts anderes darstellen soll als eine — die vollendetste — Entwicklungsform der religiösen Menschennatur selber, so hat Christus der Menschheit nichts gegeben, was nicht ein jeder aus sich selber haben konnte, und was niemand als echte Offenbarung verstehen könnte, wenn er nicht jederzeit vermöchte, die Gegenprobe für das zum voraus kundgegebene Resultat in sich selber und aus eigener Kraft zu finden.

Jesus Christus, das könnte man seinen modernen Bewunderern zugeben, wäre — vielleicht — der größte Prophet, der erhabenste religiöse Genius aller bisher abgelaufenen Zeiten. Aber der Stifter der absoluten Religion wäre Christus aus zwei Gründen nicht. Einmal hätte er ja gar nichts mitgeteilt, was nicht jeder Mensch in der Tiefe seines gläubigen Gemütes selbst hätte entdecken können unter glücklichen Umständen. Sodann wär' es nie und nimmer zu beweisen, daß der Menschheit in der Zukunft die Möglichkeit verschränkt bleiben müsse, über die christlichen Offenbarungen hinaus- und hinwegzuschreiten. Die Modernen gelangen nun einmal mit ihrem Christus über das Menschenmögliche in der Religion auf keine Weise hinaus. Wo aber liegt dessen Zukunftsgrenze? Der moderne Christus, wenn wir so sagen wollen, dürfte in der Religionsgeschichte dieselbe Stellung etwa einnehmen, die einem Pythagoras, wollte man ihn als den größten Geometer bezeichnen, in der Geschichte der Mathematik eingeräumt werden könnte. Dagegen dem Christus der jüngsten freien Wissenschaft den absoluten Platz in der Religionsgeschichte zuzuweisen, das wäre nicht bloß vor einem Brahmanen, Buddhisten, Mohammedaner, die alle leugnen, daß sie an Christi Lehre und Person ihr religiöses Erlebnis gemacht haben, eine leere Willkür. Der Versuch wäre dieselbe unwissenschaftliche Gewalttätigkeit, die das Unterfangen eines Mathematikers verriete, der da sagte: Pythagoras ist der Stifter der absoluten Geometrie; denn der nach ihm benannte Lehrsatz ist absolut wahr, und zwar darum, weil Pythagoras den Satz wahr gemacht hat, nicht hat Pythagoras das Theorem bewiesen, weil es, im Grunde jedem Denkfähigen erkennbar, zuvor schon, an sich wahr ist.

Also mögen die Gelehrten und ihre Gläubigen, die in Jesus Christus den Idealmenschen, den größten Beter, aber nicht den Anbetungswürdigen verehren, und die sich — erfolglos — bemühen, dem idealen Menschenwort ihres „Heilandes" eine absolute Bedeutung in der Religionsgeschichte zu wahren, sie mögen ihrem „Heilande" Bilder und Büsten errichten! Aber die Monumente dürfen Aufstellung nur in derselben Galerie finden, wo die Denkmäler der Großen und der Größten aus der Menschheit stehen. Eine absolute Überordnung Christi über die Genien der Menschheit, seine Verehrung in Tempelhallen wäre ebensogut Abgötterei — Heroenkult — zu nennen, wie Athanasius der Große die Verehrung der Arianer ihrem Logos-Christos gegenüber einen Rückfall in den Polytheismus genannt hat.

Wir begreifen die Sprache jener sarkastischen Kritiker, die, in der Schule Eduard v. Hartmanns gebildet, den „romantischen Jesuskultus" in der modernen Theologie, die praktische Ausprägung des Dogmas im jüngsten Christentum, entweder als wissenschaftliche Harmlosigkeit bespötteln oder als einen Hohn auf die Grundsätze der Wissenschaft und der Geschichtsforschung brandmarken. Das Christentum „mit seinem Dante und seiner Gotik, die von Moskau bis nach Sizilien und Spanien reicht", das Christentum „mit seinen Türmen und Zinnen, mit seiner Symmetrie des Unsymmetrischen, mit seiner Freiheit in schöner, strenger Gebundenheit", das Christentum, ehedem „ein Bruderbund und Geistesbund im höchsten und gewaltigsten Sinne" — dieses Christentum ist den Kritikern des Radikalismus, die eine gänzlich neue Grundlage des menschlichen Denkens und Glaubens und der gesamten menschlichen Sozietät erschaffen wollen, eine Summe von toten Größen, eine Sammlung von leeren Erinnerungszeichen; und diese lassen wissen, daß Hochbedeutsames einst gelebt hat, daß das Leben der Menschheit indessen darüber wie über viel anderes, das noch tiefsinniger gewesen als der christliche Gedanke, hinweggeschritten ist, daß die nie rastende Zeit die Ruinen und Reliquien des Abgelebten der Vermoderung überantwortet hat. So meint der Radikalismus, der in jeder Form der Religion viel Irrtum und ein Fünkchen Wahrheit, der auch im Christentum nichts Besonderes, höchstens neben viel Irrtum einen Funken Wahrheit sieht. Und schlimmer als gegen die Frommen und Gläubigen alten Stiles, gegen die Angehörigen der katholischen Kirche und der positiven Bekenntnisse überhaupt ist der Radikalismus gegen jene gesinnt, die sich an die Namen des geschichtlichen Christusglaubens anklammern und diese Namen als ehrwürdige Hüllen ihrer sogenannten „absoluten" Weisheit, d. h. ihrer Paralogismen und Sophismen, zu nützen bestrebt sind[1].

Nun freilich, das Christentum in der Gegenwart totsagen und den Vertretern der jüngsten, der liberalen Theologie überhaupt den Titel „Totengräber des Christusglaubens" beilegen, das heißt geradesowenig eine wissenschaftliche Erklärung des positiven Christentums beibringen, als die freie Umdeutung des Sinnes in den festgehaltenen christlichen Namen Wissenschaft ist.

Was sich modernes Christentum benennt, was sich dem Christusdogma der allgemeinen Kirche gegenüberstellen, was sich als der höhere, der höchstentwickelte Sinn der religiösen Ahnungen und Anschauungen in der Menschheit zur Geltung bringen und die Spaltung der Konfessionen überwinden will, das gewährt keinen erfreulichen Anblick. Angesichts der Zerklüftung, die den Neuglauben, der nur in der Leugnung des urchristlichen Dogmas, der wahren Gottheit des Erlösers einig ist, als ein arges Durcheinander von Meinungen und Annahmen, von Vermutungen und Wünschen erscheinen läßt, wird, nicht in den Kreisen der Altgläubigen, sondern aus den Kreisen des Modernismus selber heraus das Klagewort von dem „theologischen Elend der Gegenwart" erhoben[2].

Ist bei solcher Wirkung der schrankenlos freien Forschung nicht der Pilatusruf: „Was ist Wahrheit!" allein noch angezeigt?[3]

Die Architekten der freien Religionswissenschaft haben ein Gerüst aufgeschlagen, als gält' es im Ernst, ein anderes Babel für Jesum Christum zu erbauen. Wenden wir uns aber an Jesus Christus selber, dann nennt er uns das e i n e Kennzeichen s e i n e s Reiches: die Einigkeit, und seine Person steht im Mittelpunkt als die lebendige Kraft der Einigkeit[4].

Wer und was ist er, der Schöpfer, Erhalter und Regent des Seelenreiches, des einigen Gottesreiches hienieden? „Siehe, hier ist mehr als Salomon" — der Auserwählte Gottes, der Typus aller Menschenweisheit![5] Hat sich Christus mit diesen Worten als den Idealmenschen oder als den Übermenschen vorgestellt? Wer und was der Meister ist, hat er in feierlicher Stunde den ersten seiner Jünger bekennen lassen, und das Be-

---

[1] Vgl. E. Platzhoff-Lejeune, Religion gegen Theologie und Kirche. Notruf eines Weltkindes (1905) 10 f. — W. v. Schnehen, Der moderne Jesuskultus[2] (1907), Schluß. Zu letzterem: A. Dorner, Die Entstehung der christlichen Glaubenslehren (1906), Vorwort.

[2] S. namentlich E. Troeltsch, W. Herrmann, H. J. Holtzmann in dem zitierten Werke: „Die Kultur der Gegenwart", 1. Tl, 4. Abtlg (Die christliche Religion, 1906).

[3] Jo 18, 38 (Pyrrhonismus).   [4] Mt 12, 25 ff. Mk 3, 25.

[5] Mt 12, 42.

kenntnis: „Du bist Christus, der Sohn des lebendigen Gottes"[1], hat der Herr nach dem buchstäblichen Verstande bekräftigt. Entweder ist in dem Mehr, das der Zimmermann aus Nazareth sich über alle Menschen hinaus zuspricht, ein unendlicher Abstand zwischen ihm und allem Geschaffenen gesetzt. Oder Christus ist einer Selbsttäuschung, die ihm in einem Anfalle schwerster geistiger Erkrankung gekommen, zum Opfer gefallen, als er die Wesenseinheit mit dem Vater von sich aussagte[2]. Wie konnte nun aber die ungeheure, die ungeheuerliche Illusion, die das entsetzliche Gegenteil von all dem wäre, was Sinn ist und was Sinn hat, der Seins- und Erklärungsgrund der christlichen Weltreligion werden, der Religion, in der sich doch etwas wie Sinn und Gedanke findet, in deren Gedankenprinzip sich sogar die sittlich-religiöse Urbildlichkeit für die gesamte Menschheit finden soll?

Keine Vernunft der Vernünftigen wird die Vorstellung der Neugläubigen restlos zu vollziehen im stande sein. Keine Vernunft der Vernünftigen wird in dem Geheimnisse des alten Glaubens, den Petrus vor dem Angesichte Christi bekennt, eine Zumutung an die Fassungskraft des Menschengeistes sehen, der Zumutung ähnlich, die das Dogma — der Paralogismus — des jüngsten Christentums, eines Schulglaubens, nicht eines Kirchenglaubens, tatsächlich dem Denken macht.

Geheimnis allerdings, Mysterium der Mysterien ist die Religion des Kreuzes, aber das lebensfähige, lebendige, allsiegende Geheimnis ist sie![3]

Als das junge Christentum seinen ersten Gang auf Erden tat, geschah es nicht im Schritte der Legionen, die Altroms Kaiseradler führten. Aber es zog ein Geisteswehen durch das Innere der Kreaturen. Die alte

---

[1] Mt 16, 16.

[2] Es ist wohl denkbar, daß ein geistig normaler Mensch Mephistos Versuch wiederholt, Gottgleichheit vorzutäuschen: Eritis sicut deus, scientes bonum et malum (vgl. Gn 3, 5). Inhaber des Prädikates könnten der Meister, der Schüler, beide oder dritte sein sollen. Daß aber ein Mensch mit gesundem Erkenntnisvermögen an Gottgleichheit ernsthaft glaubt, ist unmöglich; denn das Unterscheiden kann eine Vorstellung, deren Unvollziehbarkeit der Mensch unter Wahrnehmungs- und Denkzwang einsieht, geradeso wie die Unvereinbarkeit von Sein und Nichtsein, Unerschaffen und Geschaffen in derselben, auf denselben Inhalt gerichteten Denkhandlung, für eine Denkmöglichkeit nicht halten. Die Überzeugung von der Denkmöglichkeit (Widerspruchslosigkeit) einer Vorlage ist aber die erste und notwendige psychologisch-logische Voraussetzung, um glauben und etwas glauben zu können. Credere non possumus, nisi rationales animas haberemus.

[3] 1 Kor 2, 7. Röm 16, 25. 1 Tim 3, 16. Die Besiegelung des Mysteriums, der zentrale Lehrgegenstand des Evangeliums ist die leibliche Auferstehung des Herrn: Joh 1, 14; 16, 10. Mk 16, 19. Röm 1, 4. 1 Kor 15, 1 ff.

Welt ward erschüttert in ihren Grundfesten, und es ergrimmten die Anhänger des Alten, des Veralteten. Als sie sich anschickten, das neue Geheimnis in seinen Verkündigern zu töten, da gab der weise Gamaliel, heute noch ein Stolz Israels, den Rat: „Lasset ab von diesen Leuten! Denn wenn ihr Plan, ihr Werk von Menschen ist, wird es zerfallen; wenn es aber aus Gott ist, werdet ihr nicht vermögen, sie zu verderben"[1].

Menschenwerke zerfallen. Viel rascher noch, wir erleben es Tag für Tag, zergehen Menschenmeinungen. Gottes Werk steht und besteht. Und mit welchen Mitteln siegt, was göttlich ist, über jeden Widerstand und über die schlimmste Bedrohung der Geistes- und Herzensfestigkeit, über den Wechsel der Zeiten? Hat das Evangelium Jesu Christi durch eine Tyrannis des Glaubens seine unzerstörbare Herrschaft über die Menschengemüter aufgerichtet?

Der die Menschen von innen heraus unterweist, hat allerdings die Gewalt[2], durch sein Wort die Geister zu binden und die Gewissen. Der aber die Herrschaft der Wahrheit begründet und ausübt, kennt das Geheimnis, sich den Gehorsam der Seinigen durch die Geistes- und die Gewissensfreiheit zu sichern. Es ist damit zu allen Zeiten, wie es in der Urzeit des Christentums gewesen. Unter den ersten Aposteln des Auferstandenen war neben den Donnersöhnen ein Zweifler, ein Leugner, ein wilder Verfolger. Doch die Wahrheit ließ sich von der Freiheit eines

---

[1] Apg 5, 38.
[2] Alle vier Evangelisten (Mt 7, 28f. Mk 1, 22. Lk 4, 32. Jo 7, 46) heben den Gedanken hervor: ἦν διδάσκων αὐτοὺς ὡς ἐξουσίαν ἔχων, καὶ οὐχ ὡς οἱ γραμματεῖς αὐτῶν. Bei Johannes (8, 25) steht die Erklärung dafür. Auf die Frage, wer er denn eigentlich sei, heißt es geheimnistief: εἶπεν αὐτοῖς ὁ Ἰησοῦς· τὴν ἀρχὴν ὅτι καὶ λαλῶ ὑμῖν. Dazu Jo 6, 45 und Is 54, 13: ἔσονται πάντες διδακτοὶ θεοῦ. Cfr. Augustinus: Et ipse agricola est, nec talis, quales sunt qui extrinsecus operando exhibent ministerium, sed talis ut det etiam intrinsecus incrementum. Vgl. zwei weitauseinanderliegende Gedanken! Imitat. Jesu Christi I, 3: Felix, quem veritas per se docet, non per figuras et voces transeuntes, sed sicuti se habet! Lessing, Nathan der Weise III, 6:
　　. . . Wahrheit! Als ob
　　Die Wahrheit Münze wäre! — Ja, wenn noch
　　Uralte Münze, die gewogen ward!
　　Das ginge noch! Allein so neue Münze,
　　Die nur der Stempel macht, die man aufs Brett
　　Nur zählen darf, das ist sie doch nun nicht!
　　Wie Geld in Sack, so striche man in Kopf
　　Auch Wahrheit ein?
　Vgl. die Urform des Gedankens: Hebr 8, 10: . . . διδοὺς νόμους μου εἰς τὴν διάνοιαν αὐτῶν, καὶ ἐπὶ καρδίας αὐτῶν ἐπιγράψω αὐτούς, . . . καὶ οὐ μὴ διδάξωσιν ἕκαστος τὸν πολίτην αὐτοῦ καὶ ἕκαστος τὸν ἀδελφὸν αὐτοῦ, λέγων· γνῶθι τὸν κύριον, ὅτι πάντες εἰδήσουσίν με.

Thomas, von der Freiheit eines Petrus, von der Freiheit eines Saulus huldigen, und wer immer in ehrlichem Bestreben um die Wahrheit ringt, dem wird sie zum Lohn, indem sie zuletzt die einzige Gebieterin seines Denkens, Wollens und Liebens wird. Nur das Verhalten des Mannes aus Kariot, der wissentlich wider die Wahrheit gerungen, spricht sich, nach dem ewigen Gesetze der Wahrheit, selber das Verwerfungsurteil.

In der Weltgeschichte ist ein Mann erst aufgetreten, und er ist bis auf die gegenwärtige Stunde der einzige geblieben, der mit eigener, göttlicher Machtvollkommenheit das Wort gesprochen hat, das wunderbare Wort hat sprechen dürfen: „Ich bin der Weg, die Wahrheit und das Leben"![1] Den Wahrheitsuchern allen bin ich der Weg, durch mein Beispiel — bin ich das Wahrheitsziel, durch mein Lehrwort und Lehrgebot — bin ich das Leben, durch die Kraft meiner Gnade, die jedem Fragenden Herz und Sinn erneuert, die jedem Erkennen den Wert der Wissenschaften, den Wert der Universitas Litterarum — in deren Hinordnung auf das höchste Gut aufschließt, auf die Schönheit und die Liebe, die bei dem ewigen Vater wohnen.

---

[1] Jo 14, 6; vgl. Jo 8, 32: ἡ ἀλήθεια ἐλευθερώσει ὑμᾶς. Über Wahrheit und Freiheit vgl. den axiomatischen Satz Innozenz' III: Id est religioni christianae contrarium, ut semper invitus et penitus contradicens ad recipiendam et servandam christianitatem aliquis compellatur. Leo XIII. hat den Gedanken also wiederholt: Illud quoque magnopere cavere Ecclesia solet, ut ad amplexandam fidem catholicam nemo invitus cogatur, quia, quod sapienter Augustinus monet, credere non potest homo nisi volens. Enzykl. „Immortale dei miserentis opus" (Über die christl. Staatsordnung) vom 1. November 1885.

DER URSPRUNG
DER RELIGIÖSEN VORSTELLUNGEN
UND DIE PHANTASIE.

―――――

FESTSCHRIFT ZUR FEIER DES 81. GEBURTSTAGES
SR. KÖNIGL. HOHEIT DES GROSSHERZOGS FRIEDRICH VON BADEN
AM 9. SEPTEMBER 1907.

O immaginativa, che ne rube
   Tal volta sì di fuor, ch'uom non s'accorge,
   Perchè d'intorno suonin mille tube:
Chi muove te, se il senso non ti porge?
   Muoveti lume, che nel ciel s'informa
   Per se, o per voler, che giù lo scorge.
O Phantasie, die oft uns mit Gewalt
   So aus uns selbst entrückt, daß wir's nicht spüren
   Wenn's von Posaunen tausendfach erschallt:
Was treibt dich, wenn die Sinne dich nicht rühren?
   Licht treibt dich, dem der Himmel Form verleiht,
   Sei's durch sich selbst, sei's durch ein höh'res Führen.

                Dante, Purgatorio XVII, 13 f.

Einleitung.

Johannes Markus erzählt einen Vorgang aus dem öffentlichen Leben Jesu nebst dem denkwürdigen Eindruck, den Jesu Wort in einem sinnigen Menschengemüt hervorgerufen.

Ein Schriftgelehrter, aus der Pharisäerzunft einer der wenigen, die nicht von theologisch-juristischer Fragelust und Streitsucht bloß, sondern von ernster Wißbegierde getrieben wurden, kam mit einem Anliegen vor den göttlichen Meister. Welches ist das erste, das große Gesetz? Dem Frager wird die Gottesliebe mit der Nächstenliebe genannt, das Doppelgebot, gleichsam das Herz, aus dem, wie Christus bei Matthäus sagt, dem ganzen Gesetz und den sämtlichen Propheten das Recht des Daseins und die Kräfte des Wirkens entspringen.

Der Schüler wiederholt die Antwort Jesu mit nachdrücklicher Zustimmung. „Gut, Meister! Du sagst richtig, daß Er einer ist und daß außer Ihm kein anderer ist. Ihn lieben mit dem ganzen Herzen, mit der ganzen Erkenntnis, mit der ganzen Kraft, und den Nächsten lieben wie sich selbst, das ist weit mehr als alle Brandopfer und Schlachtopfer."

Jesus Christus lobt den Mann der verständigen Rede wegen und erklärt ihm: „Du bist nicht fern von dem Reiche Gottes."[1]

Nach der Darstellung bei Markus will der Stifter des Christentums unter dem Reiche Gottes die Verfassung der Welt verstanden wissen, die vorliegt, wenn einmal die vollkommene Gottesliebe Wirklichkeit, wenn einmal die allumfassende Menschenliebe Wirksamkeit geworden ist. Als Bürger, als Besitzer des Gottesreiches wird derjenige selig gepriesen[2],

---

[1] Mk 12, 28—34. Dazu Mt 22, 40: ἐν ταύταις ταῖς δυσὶν ἐντολαῖς ὅλος ὁ νόμος κρέμαται καὶ οἱ προφῆται. Vgl. Dt 6, 4 ff; Lv 19, 18. Jak 1, 27 heißt es von der ‚religio munda et immaculata‘, im Gegensatze zu der ‚religio vana‘: θρησκεία καθαρὰ καὶ ἀμίαντος παρὰ τῷ θεῷ καὶ πατρὶ αὕτη ἐστίν· ἐπισκέπτεσθαι ὀρφανοὺς καὶ χήρας ἐν τῇ θλίψει αὐτῶν, ἄσπιλον ἑαυτὸν τηρεῖν ἀπὸ τοῦ κόσμου (Selbstliebe == Selbstbewahrung).

[2] Vgl. Mt 5, 1 ff.

in welchem die Liebe zu Gott und zu dem Nebenmenschen als die all-durchdringende Seelenkraft arbeitet, der von ihr als der allnährenden Seelenspeise lebt. Alsdann ist ein jeder, dessen wohlgeordnete Selbst-liebe das Normalmaß des Liebens nach außen darstellt, in beglückender Weise sich selber der Nächste.

Wenn wir die Sprache der Gottinnigkeit in den Ausdruck der strengeren Wissenschaft übersetzen, was ist mit dem Reiche Gottes und mit der Liebe gemeint, die das Reich geschaffen hat, es erhält und regiert?

Vor uns liegt eine gedrängte Zusammenstellung von Erklärungs-versuchen, die das Etwas näher bestimmen möchten, die geheimnisvolle Kraft, welche, nach Art einer allgegenwärtigen Seele, die Gestalt des Gottesreiches, des Himmelreiches unter den Menschen bildet, ausbildet, fortbildet. Die Zahl der Erklärungsversuche — nur die in der Geschichte des menschlichen Gedankens einflußreicheren, die in der Entwicklung der Philosophie folgenreichen Annahmen wollen wiedergegeben sein — beläuft sich auf rund hundertfünfzig. Sie betreffen das Wesen der Religion[1].

Einer der klarsten Denker, dessen Sätze von unserem Gewährs-mann berührt, nicht angeführt sind, gibt seine Stimme dahin ab: „Religion im eigentlichen Sinne bedeutet Hinordnung des Menschen auf Gott."[2]

[1] Vgl. Rudolf Eisler, Wörterbuch der philosophischen Begriffe[2] II (1904) 254—268: ‚Religion‘.

[2] Thomas, Summa theol. II[2], q. 81 a. 1 in corp.: Sicut Isidorus dicit (Etym. X ad litt. R), ‚religiosus‘, ait Cicero, a relectione appellatus est, quia retractat et tamquam relegit ea quae ad cultum divinum pertinent. Et sic ‚religio‘ videtur dicta a relegendo ea quae sunt divini cultus, quia huiusmodi sunt frequenter in corde revolvenda, secun-dum illud Proverb. 3, 6: „In omnibus viis tuis cogita illum" — quamvis etiam possit intelligi religio ex hoc dicta, quod „deum religere debemus, quem amiseramus negligentes", sicut Augustinus dicit (De civ. dei 10, 4). Vel potest intelligi religio a religando dicta; unde Augustinus dicit (De vera relig. prope fin.): „Religat nos religio uni omnipotenti deo." Sive autem religio dicatur a frequenti relectione sive ex iterata electione eius, quod negligenter amissum est, sive dicatur a religatione, religio proprie importat ordinem ad deum. Ipse enim est, cui principaliter alligari debemus tamquam inde-ficienti principio; ad quem etiam nostra electio assidue dirigi debet sicut in ultimum finem; quem etiam negligentes peccando amittimus et credendo et fidem protestando recuperare debemus. Vgl. ebd. q. 84 a. 1 ad 1 (adoratio actus latriae sive religionis). Gleichwertige Bezeichnungen sind ‚eusebia‘ und ‚pietas‘. In der Summa de verit. cath. fidei contra gentiles (3, 119) steht der bemerkenswerte Spruch: Dei cultus ‚religio‘ nominatur, quia huiusmodi actibus quodammodo se homo ligat, ut ab eo non evagetur, et quia etiam quodam naturali instinctu se obligatum sentit deo, ut suo modo reverentiam ei impendat, a quo est sui esse et omnis boni principium.

Die Hinordnung des Geschöpfes auf den Schöpfer stellt den Menschen in ein zweifaches Grundverhältnis hinein. Einmal sind für das Erkennen Beziehungen geschaffen. Das Denken des Verstandes und der Vernunft, die nach dem Kausalitätsgesetz zum Ersten und Letzten vorzudringen suchen, urteilt, daß Gott der Urquell und das Endziel alles Seienden ist, das einige und einzige höchste Wesen. „Der ‚Er‘ ist einer, und außer Ihm ist keiner."[1] Sofort entspringt dem Menschen ein Verhältnis des Willens und des Gemütes dem höchsten Gute gegenüber: die Liebe zu Gott aus allen Seelenkräften auf dem Grunde der Erkenntnis und der Anerkenntnis des göttlichen Waltens. Die sichtbare Form aber, in der die Gotteserkenntnis und die Gottesliebe sich darleben, ist der Gottesdienst, dessen wesentliche Zeichen die Opfer des Gebetes und die Gebete des Opfers sind. Und was mehr ist als Schlacht- und Brandopfer, was die Probe liefert für die Einheit von Gotteserkenntnis und Gottesdienst, für die Echtheit des liebenden Gehorsams vor Gott, das ist die Durchführung des Gotteswillens von seiten des Menschen in allen Lebenslagen; das ist die Übernahme der sittlichen Lebenspflichten als göttlicher Gebote; das ist die Betätigung der Selbstliebe, die durch die höchste Liebe verordnet, die nach den Vorschriften der höchsten Weisheit, Gerechtigkeit und Heiligkeit geordnet ist, und die Betätigung der Nächstenliebe, die aus der Selbstliebe fließt. Die Einschärfung der Nächstenliebe ist, neben dem ersten und großen, das königliche Gebot[2].

Der Lohn endlich der Liebe, die in ihrer Grundform dreifach, in ihrer Wurzel und in ihrem Wesen einfach ist, nämlich die Wertung des Guten rein um des Guten willen, die Schätzung des Reinen, Edlen, Heiligen über alles, die Treue der Gesinnung für das Rechte, für das Seinsollende, selbst wenn der Treue die schwersten Opfer auferlegt werden — der Segen der Gottesliebe, der Selbst- und Nächstenliebe ist das Geborgensein der Seelen in ihrem Gott, der Seelenfriede, der über alles Begreifen geht[3].

In der Umschreibung der biblischen Worte ist das Wesen der Religion gekennzeichnet.

---

[1] Vgl. Js 48, 12 nach den markigen Vulgataworten: Ego ipse, ego primus, ego novissimus.
[2] Jak 2, 8: νόμος βασιλικὸς κατὰ τὴν γραφήν.
[3] Js 64, 4 und 1 Kor 2, 9: ἃ ὀφθαλμὸς οὐκ εἶδεν καὶ οὖς οὐκ ἤκουσεν καὶ ἐπὶ καρδίαν ἀνθρώπου οὐκ ἀνέβη, ἃ ἡτοίμασεν ὁ θεὸς τοῖς ἀγαπῶσιν αὐτόν — was ist das? Phil 4, 7: ἡ εἰρήνη τοῦ θεοῦ ἡ ὑπερέχουσα πάντα νοῦν φρουρήσει τὰς καρδίας ὑμῶν καὶ τὰ νοήματα ὑμῶν ἐν Χριστῷ Ἰησοῦ.

Die Religion ist ein zweifaches Gottesreich. Zunächst ist sie die Verfassung des Gottesreiches im Innern des Menschen. Religiosität mag diese Verfassung heißen. Sie stellt ein lebendiges Zusammen, ein Sichbegleiten und ein Sichdurchdringen von Herzens- und Willensregungen, von Ahnungen, Anschauungen und Gedanken dar, eine Wechselwirkung von seelischen Vorgängen, die zu zielbewußtem, tatenfrohem, tatkräftigem Handeln drängen. Der religiöse Mensch müht sich um das Höchste, nämlich um die Billigung seines gesamten Tuns und Verhaltens durch den Allerhöchsten. In dieser Billigung findet der Sterbliche seinen Himmelstrost, empfindet er die Wonnen der Ewigkeit, fühlt er sich beseligt in zeitlosem Glück.

Zum Unterschiede von der Religiosität, dem Inbegriff der Ewigkeitsregungen im Seelengrunde, ist die Religion selber die Kundgebung des Innern, die Gestaltung und die Gestalt des Gottesreiches, wie es für den Menschen zwar, aber außerhalb von ihm sich aufbaut. Das sichtbare Gottesreich ist ein lebensvolles Zusammen, ein wohlgegliedertes Ineinander von Tatsachen, Wahrheiten und Einrichtungen, von Pflichtnormen, Gütern und Werten, von Ursachen und Zwecken, kurz von objektiven Verhältnissen. Diese müssen zu den Bewußtseinselementen, die sich im religiösen Erkennen, Wollen und Fühlen des Menschengeistes offenbaren, in Beziehung gebracht werden können. Die Religiosität muß sich in der Religion aussprechen, und die Religion muß die Religiosität ansprechen: beide müssen sich entsprechen, soll es mit der Religiosität nicht auf Einbildungen der erregten Seele, soll es mit der Religion nicht auf äußerliche Scheingebilde hinauskommen.

Mittelpunkt der Religion im objektiven Sinn, das theoretische Grunddogma, das alles sonst in der Religion um sich bewegt, ist die Wahrheit vom Dasein des einen Gottes, der die Liebe ist. Mittelpunkt der Religiosität, das praktische Grunddogma, aus dem alle andern Andachtsregungen ausstrahlen, ist die Überzeugung des Frommen von dem Recht und von der Pflicht der Gottesliebe, der unaussprechbar beruhigende Glaube, daß es die Bestimmung des Menschen und jedes Menschen ist, Kind Gottes, der Liebling der unendlichen Güte zu sein.

Nach der Zweiteilung, welche die Religion als Inbegriff seelischer Vorgänge in dem Menschen (fides quâ credimus) und als Inbegriff sachlich begründeter Verhältnisse für den Menschen (fides quam credimus) unterscheidet, läßt sich auch der Stoff anordnen, den die neuere Religionsphilosophie behandelt. Sie fragt nach dem Wesens- und Wertgehalte, sowie nach der Entstehung und nach den Beziehungen der Religion zu den Bestrebungen, zu den Hervorbringungen in der Menschheit, die mit dem Fremdworte ‚Kultur‘, einem Sammelausdruck für die mannigfaltigsten Vorstellungen und Leistungen, bezeichnet werden.

Welche Rolle spielt die Religion im Zusammenhang mit der Sitte, mit Recht, Gesetz und Sittlichkeit? Welche Bedeutung kommt der Religion zu bei dem Aufbau sowie dem Wechselverkehr der Gemeinschaften unter den Menschen, bei der Bildung der Gesellschaft, des Staates, der Staaten? Welchen Anteil hat die Religion an der Wissenschaft und an den Künsten, an ihrem Aufkommen und an ihrer Förderung?

Antwort auf die Fragen will man finden, indem zunächst die Erscheinungsformen der Religion, die geschichtlichen Religionen untersucht, verglichen und womöglich an einer Grund-, Normal-, Idealform gemessen werden. Das Urmaß der Religion sucht man aus den Kräften der Religiosität und aus den idealen Forderungen der Menschennatur abzuleiten, denen das unter der religiösen Vorstellung Verstandene genügen soll. Die methodische Forschung geht aus von der Phänomenologie des religiösen Bewußtseins, um auf und aus deren Ergebnissen die Psychologie, die Ethik und Ästhetik der Religion aufzurichten. Zuletzt wird die logische Geltung und die ontologische Begründung der religiösen Vorstellungen geprüft, und es muß hier, in der Kritik, Noetik und Metaphysik des religiösen Bewußtseins, sich entscheiden, welche Fassung des Gottes- und des Schöpfungsbegriffes die richtige ist, ob die Begriffe überhaupt sich halten lassen.

Unter den Problemen der Religionswissenschaft ist die Frage: Wie entsteht die religiöse Vorstellung, die Vorstellung des Göttlichen im Geiste des Menschen? von überragender Bedeutung. Aus welcher Fähigkeit der Seele entspringt die Vorstellung? Durch welche Kräfte wird sie geformt? Durch welche Einflüsse wird die Vorstellung von einem Göttlichen, von seinem Verhältnisse zur Welt und von unserem Verhältnisse zu ihm (Leben, Tod, Unsterblichkeit) geformt, umgeformt, entwickelt, oder auch verzerrt, verdorben, zersetzt?

Eine sehr alte Meinung hielt dafür, daß der religiöse Gedanke, die Vorstellung eines Übergewaltigen, Unendlichen, Ewigen, von dem sich der Mensch in seinem ganzen Sein und Wissen gehalten, dem er sich mit Herz und Gewissen verpflichtet fühlt, das willkürliche Erzeugnis freier Erfindungen unter den Menschen sei. Die Meinung ist längst als falsch, als unpsychologisch und unhistorisch erkannt. Die Rede von der priesterlichen Verschmitztheit, von der Schlauheit der Volksbedrücker, von der Kunstfertigkeit der Volksbetrüger, von irgend einem Kniff der Unehrlichkeit und der Bosheit, welche die Religion als Mittel ersonnen hätten, um die Furcht, die Selbstsucht, die Unwissenheit der Massen auszubeuten, wird durch ein Wort Homers Lügen gestraft. Das Wort: „Πάντες δὲ θεῶν χατέουσ᾽ ἄνθρωποι, denn es bedürfen die Sterblichen alle der Götter"[1] — spricht, in unrichtiger Auffassung zwar, doch ein Zeugnis aus, von dem sich jeder durch Selbsterfahrung vergewissern kann, und zugleich eine weltgeschichtliche Tatsache, die sich durch nichts entkräften läßt. Die Religion kann in ihren Anfängen nicht eine Willkürschöpfung sein, nicht auf Trug oder Gewalttat beruhen, allein deshalb nicht, weil sie durch keine Willkürmaßregel, durch keinen Druck der Gewalt, durch kein Mittel der Arglist, der Hinterlist, des Hasses, durch keine Erfindung der menschlichen Erfindungskunst aus der Welt geschafft werden kann.

Im Gegensatze zu jedem Gemachten ist die Religion in ihren Anfängen, in ihrem psychologischen Ursprung etwas Naturwüchsiges. Welcher Trieb und Schößling unserer Natur, unseres seelischen, geistigen Wesens bringt die Religion hervor?

Wir beschränken unser Fragen auf das Entstehen der religiösen Vorstellung, lassen also die religiösen Gefühle, die religiösen Willensantriebe, namentlich aber lassen wir all das beiseite, was man die Verkörperungen des Religionssinnes heißen kann.

Wilhelm Wundt soll der Deutung des Rätsels, der Erklärung des religiösen Phänomens in der Menschheit näher gekommen sein als irgend ein Denker der Vergangenheit und der Gegenwart. Den neuen Schlüssel, der den Zugang zu dem uralten Geheimnis endlich geöffnet habe, den Zauberstab, durch dessen Gebrauch das Bild von Sais für immer entschleiert sein soll, wollen die nachfolgenden Sätze beschreiben.

---

[1] Odyssee 3, 48. Um den Sinn Homers ganz zu treffen, wird man übersetzen müssen: Alle Menschen bedürfen der Gottheit. Denn in Bezug auf die Volksreligionen, die die frommen Männer Homer und Hesiod vorfanden, wird das Wort gelten, das nach Diogenes Laertius (10, 123 f) Epikuros, der Oberflächliche, an einen gewissen Menoikeus schreibt: ῾Α δέ σοι συνεχῶς παρήγγελον, ταῦτα καὶ πράττε καὶ μελέτα, στοιχεῖα τοῦ καλῶς ζῆν ταῦτ᾽ εἶναι διαλαμβάνων· πρῶτον μέν, τὸν θεόν, ζῷον ἄφθαρτον καὶ μακάριον νομίζων, ὡς ἡ κοινὴ τοῦ θεοῦ νόησις ὑπεγράφη· μηθὲν μήτε τῆς ἀφθαρσίας ἀλλότριον μήτε τῆς μακαριότητος ἀνοίκειον αὐτῷ πρόσαπτε· πᾶν δὲ τὸ φυλάττειν αὐτοῦ δυνάμενον τὴν μετὰ ἀφθαρσίας μακαριότητα, περὶ αὐτὸν δόξαζε. θεοὶ μὲν γάρ εἰσιν. ἐναργὴς μὲν γάρ ἐστιν αὐτῶν ἡ γνῶσις. οἵους δ᾽ αὐτοὺς οἱ πολλοὶ νομίζουσιν, οὐκ εἰσίν· οὐ γὰρ φυλάττουσιν αὐτούς, οἵους νομίζουσιν. ἀσεβὴς δέ, οὐχ ὁ τοὺς τῶν πολλῶν θεοὺς ἀναιρῶν, ἀλλ᾽ ὁ τὰς τῶν πολλῶν δόξας θεοῖς προσάπτων. οὐ γὰρ προλήψεις εἰσίν, ἀλλ᾽ ὑπολήψεις ψευδεῖς αἱ τῶν πολλῶν ὑπὲρ θεῶν ἀποφάσεις.

„Die letzte Quelle aller Mythenbildung, aller religiösen Gefühle und Vorstellungen", so versichert Wundt[1], „ist die individuelle Phantasietätigkeit; jene Gebilde selbst aber besitzen durchaus den Charakter von Phantasieschöpfungen, die sich unter den Bedingungen des Zusammenlebens entwickelt haben. In dem Mythus verknüpft die Volksphantasie die Erlebnisse der Wirklichkeit. In der Religion schöpft sie aus dem Inhalt dieser Erlebnisse ihre Vorstellungen über Grund und Zweck des menschlichen Daseins."

So lautet das Programm für die neue Erforschung des religiösen Bewußtseins. Nun sieht die Sache freilich einer Sophistik so gleich, wie ein Ei dem andern. Denn, sehen wir vorerst ab von der metaphysischen Voraussetzung für die ganze Meinung, von Wundts ‚Aktualitätsund Evolutions‘-Hypothese, derzufolge das Sein der Substanzen durch substratloses Tätigsein sich erzeugen soll, wie die Materie sich durch Schwingungen, Strahlungen eines Nichts zu entwickeln hat — wäre nicht der Versuch, die religiösen Vorstellungen aus den religiösen Gefühlen herzuleiten, weit annehmbarer als der umgekehrte, der aus einer Phantasieschöpfung ein Gefühl im eigentlichen Sinne entspringen lassen will? Tatsächlich und buchstäblich ist weder ein Gefühl die ‚Quelle‘ einer Vorstellung, noch eine Vorstellung das ‚Prinzip‘ eines Gefühls, noch die Phantasie der ‚Grund‘ beider, sondern die Seele ist die Quelle der seelischen Vorgänge, das Subjekt ihrer sämtlichen Prädikamente.

Doch wir wollen hier nicht bei dem schwächsten Punkte der modernen ‚Seelenlehre ohne Seele‘ stehen bleiben. Das Unternehmen, das durch das ‚imaginär Transszendente‘ des ‚reinen Willens‘ — er soll als ‚Moment‘ im ‚Gesamtwillen‘ und durch diesen als ‚Kettenglied‘ im ‚Allwillen‘ begriffen sein — ‚die substanzielle, die individuelle Seele ersetzen möchte, mag zunächst auf sich beruhen. Die Logik des gesunden Menschenverstandes, es ist wahr, bleibt der neuen Sprache gegenüber ratlos[2].

Wir fragen: Ist die Hervorhebung der Phantasietätigkeit berechtigt, wenn es sich um das erste Entstehen der religiösen Vorstellung handelt? Welchen Anteil hat die Vorstellungs- und die Darstellungskraft der menschlichen Seele, wie wir die Fähigkeit des Bildens und Einbildens, des Umbildens und Neubildens, des Erfindens und Gestaltens auch heißen können,

---

[1] Wilhelm Wundt, Völkerpsychologie, eine Untersuchung der Entwicklungsgesetze von Sprache, Mythus und Sitte. Bd II: Mythus und Religion. 1. Tl (1905), S. 3f.
[2] Siehe unten S. 137 ff.

bei dem Hervortreten dessen, was wir, während es wird, einen religiösen Vorgang im erkennenden Teil der Seele, was wir, wenn es geworden und gefaßt ist, eine religiöse Anschauung nennen?

Die Untersuchung über das Werden des religiösen Vorstellens und der religiösen Vorstellung kann nicht belanglos sein für die Beantwortung der Entscheidungsfrage, die Aufschluß verlangt über die inhaltliche und gegenständliche Wahrheit der Vorstellung, über Sein oder Nichtsein des Vorgestellten.

An drei Beispielen wollen wir uns belehren lassen über die Bedeutung der Rolle, welche die Phantasie in dem religiösen Leben des Menschen und der Menschheit zu spielen berufen ist. Mit Bedacht wählen wir Ludwig Andreas Feuerbach, Friedrich Albert Lange und Wilhelm Max Wundt.

I. Ludwig Feuerbach.

1. Kennzeichnung des Standpunktes.

Ludwig Feuerbach hat um die Mitte des vorigen Jahrhunderts einen großen Einfluß geübt. Auf dem Gebiete der Religion spricht er der Phantasie die Hauptrolle zu. Das war nicht in dem Sinne gemeint, als sollte die Entstehung der religiösen Vorstellungen vorwiegend oder allein aus der Tätigkeit der Phantasie erklärt werden. Der Inhalt vielmehr der religiösen Anschauungen ward von dem Kritiker als Einbildung, als nichtiges Erzeugnis der leeren Einbildungskraft behandelt.

Indessen, ein Mann mehr der Begeisterung als des Geistes, mehr des Dranges als der Denkschärfe, hat es Feuerbach „bis zu einer klaren Logik nie gebracht", wie Albert Lange schreibt[1]. Der Nerv seines Philo-

---

[1] Friedrich Alb. Lange, Geschichte des Materialismus (wohlfeile Ausg.) 427 ff. — Von Feuerbachs Werken, gesammelt in 10 Bänden (1846/66, neu aufgelegt seit 1903), kommen für unsere Fragen in Betracht: a) Gedanken über Tod und Unsterblichkeit (erstmals 1830). b) Über Philosophie und Christentum (1839; bricht noch eine Lanze für Hegel). c) Das Wesen des Christentums (Hauptwerk, 1841). d) Das Wesen der Religion (1845). e) Vorlesungen über das Wesen der Religion (1848/49 zu Heidelberg gehalten; erstmals gedruckt 1851). f) Theogonie oder von dem Ursprung der Götter nach den Quellen des klassischen, hebräischen und christlichen Altertums (1857). g) Gott, Freiheit und Unsterblichkeit vom Standpunkt der Anthropologie (1866). — Kuno Fischer (Geschichte der neueren Philosophie VIII [Hegel] 1168 ff) nennt Feuerbach „das Mittelglied zwischen Hegel und Marx". Von der Endentwicklung des Mannes wird gesagt: „Er war zu einem Materialismus heruntergekommen, auf dem er keineswegs feststand, sondern schwankte, uneinig mit sich selbst und unvermögend fortzuschreiten." Wie wenig Feuerbach, der über das Wesen des Christentums und der Religion das letzte Wort meinte

sophierens ist die ‚Divination‘ geblieben. Der schroffe Bekämpfer von Religion und Theologie, dem der atheistische Materialismus als letztes Wahrheitsziel vorschwebte, hat sich von dem Banne der Hegelschen Begriffsdichtungen und Phantasieschemen doch nie freizumachen gewußt. Obwohl ihm Wirklichkeit und Sinnlichkeit als völlig gleichbedeutend galten, hat Feuerbach in naivem Idealismus seine Einbildungen über Wirkliches für die Wirklichkeit selber genommen.

2. Materialistischer Sensualismus.

Wahr ist nach Ludwig Feuerbach, was keines Beweises bedarf, was unmittelbar durch sich selbst gewiß ist, unmittelbar für sich spricht und einnimmt, unmittelbar die Affirmation, daß es ist, nach sich zieht. Dies ist das schlechthin Unbezweifelbare, das Sonnenklare, das Sinnliche: nur wo die Sinnlichkeit anfängt, hört aller Zweifel und Streit auf.

Die Liebe ist der wahre, der ontologische Beweis vom Dasein eines Gegenstandes außer unserem Kopfe; keinen andern Beweis vom Sein gibt es als die Liebe, die Empfindung überhaupt. Wessen Sein dir Freude macht, wessen Nichtsein dir Schmerz bereitet, das nur i s t. Einsamkeit ist Endlichkeit und Beschränktheit; Gemeinschaftlichkeit ist Freiheit und Unendlichkeit. Der Mensch für sich allein ist Mensch; Mensch mit Mensch, die Einheit von Ich und Du gibt Gott. Nicht allein, nur selbander kommt man zu Begriffen, zur Vernunft überhaupt.

Aus der Mitteilung, aus der Gemeinsamkeit der Menschen, schließlich der Naturwesen insgesamt, entspringt uns nicht allein der Begriff von unserem Wesen, sondern so nur läßt sich auch der Wesenswert selber, der im Menschen und in den Dingen lebt, von uns empfinden. Dies aber, das aufgeschlossene Innere der Natur, das durch den Wechselverkehr ausgesprochene Selbst des Menschen ist die Gottheit. Sie, die ‚Trinität‘, ist das Geheimnis der Notwendigkeit des Du für das Ich. Wahrheit und Vollkommenheit ist in keinem Einzelwesen, ob man es Mensch oder

gesprochen zu haben, über die Geschichte und die Wahrheiten des Christentums unterrichtet war, beweist der eine Satz, den er geschrieben: „Die Maria (!) paßt ganz in die Kategorie der Dreieinigkeitsverhältnisse, da (!) sie ohne Mann den Sohn empfängt, welchen der Vater ohne Weib erzeugt, so daß also Maria eine notwendige, von Innen heraus (!) geforderte Antithese (!) zum Vater im Schoße der Dreieinigkeit bildet.“ Kuno Fischer redet zwar im Vorworte zu seinem ‚Hegel‘ von dem „hanebüchenen Materialismus der fünfziger Jahre“ vorigen Jahrhunderts; die unglaubliche Unwissenheit der Feuerbach, Büchner, Vogt, Moleschott in religiösen Dingen wird aber nicht nach Gebühr gerügt.

Gott, Ich oder Geist nenne, sondern allein in der Verbindung, in der Einheit von wesensgleichen Naturen.

Kein anderer Weg führt zum Göttlichen, als das Wissen des Sinnenmenschen vom Sinnenmenschen und von seiner Umwelt: alles ist Anthropologie. Jede andere Religion als die Naturreligion, als die bewußte und in ihrer Bewußtheit den Menschen befreiende Empfindung, daß er von der Natur abhängig ist, aus ihr und an ihr den Wert seines Wesens hat, ist ein falscher Glaube.

3. Wesen der Religion.

Was die Menge zugleich mit der theologischen Gelehrsamkeit gemeinhin Religion nennt, ist ein Erzeugnis der Phantasie. Nicht ist der Mensch nach dem Bilde Gottes geschaffen; der Sterbliche macht umgekehrt das Göttliche nach dem Menschenbildnis. Homo homini deus! Der selbstische Trieb unseres Gemütes dichtet Wunschgestalten und versetzt sie ins Überirdische. Sie werden mit schrankenloser Macht, Weisheit und Güte, mit unverlierbarer Gesundheit, mit ewiger Jugend und Heiterkeit versehen, und es wird von ihnen gefordert, daß sie jedes mögliche Verlangen des Menschen auf Erden im Himmel befriedigen.

Die Götter sind die von der Beschränktheit befreiten Wünsche des Menschen; das Jenseits, die ewige Seligkeit ist das unendlich vollkommene Diesseits, das Erdenglück, über alle Grenzen hinausgehoben. Wie der Mensch sich seinen Himmel denkt, so denkt er sich seinen Gott. Der Himmel aber ist das aufgeschlossene Herz des Menschen. Die Verwirklichung eines Seins, das dem Sehnen des unersättlichen Herzens Genüge tut, schaut der Fromme in seinem ,Gott' an und sieht der Gläubige durch den Gott für sich gewährleistet. Darum sind die Worte Gott und Unsterblichkeit dem Inhalt und der Absicht nach dasselbe; beide Vorstellungen entspringen der Sucht der Seele, der die Phantasie gefällig entgegenkommt, indem sie den Inbegriff des erträumten Glückes als dessen Urheber und Verleiher personifiziert und die Persönlichkeit, die keine andere ist als die in die Unvergänglichkeit hinüberverlegte Persönlichkeit des Menschen selber, mit allem Erdenklichen ausstaffiert.

Nur an der Unmöglichkeit haben die Wünsche der Erdgeborenen eine Schranke. Deshalb vermögen die Götter nach dem altgriechischen Glauben nichts wider die finstere Notwendigkeit, gegen das dunkle Schicksal, das schwarze Verhängnis (μοῖρα, αἶσα, ἀνάγκη ἄποτμος).

4. Verwerflichkeit der Religion.

Nach Feuerbach besteht zwischen Gott und Göttern derselbe Unterschied wie zwischen Mensch und Menschen. Kein Gott ist etwas anderes als der in der Form der Unendlichkeit vorgestellte Mensch, vorgestellt und dargestellt in dieser Form, so gut es gehen mag. Bei der Gottbildung verkehrt die Phantasie richtige Empfindungsurteile, wie: ‚Die Liebe ist göttlich, die Barmherzigkeit, die Güte ist göttlich, das Wort, die Weisheit, das Gesetz ist göttlich' — in die falschen Glaubenssätze (contre-vérités): ‚Gott ist die Liebe, Gott ist die Weisheit, das Wort' usw.

Weil die Personifikation der selbstsüchtigen Wünsche die Wunschgier immer nur steigert, vergöttlicht die Religion den sich selbst vergötternden Menschen nicht, sondern, indem sie Gott vermenschlicht, entmenscht sie den Menschen. Nicht bloß Täuschung, sondern die verderblichste Täuschung ist die Religionsphantasmagorie. In dem gewöhnlichen Religionsglauben, der das Ich des Menschen mit den übelsten seiner Eigenschaften als göttliches Selbst der Begehrlichkeit gegenüberstellt und ihm die Eigenschaften noch zulegt, die, wie Macht, Güte, Weisheit, Liebe, nur der Natur zukommen, ist das ‚böse Prinzip' gegeben.

An sich ist die Religion das Verhalten des Menschen zu seinem eigenen Wesen in der Natur; darin ruht die Wahrheit, die sittliche Heilkraft der Religion. Weil aber und wenn der Mensch sein natürliches Wesen nicht als das seinige, sondern als ein anderes, ein von ihm unterschiedenes, als ein ihm entgegengesetztes sich im Glauben vorhält, so liegt in dieser Religion die Unwahrheit, der Widerspruch mit Vernunft und Sittlichkeit. Darin birgt sich die unsinnige und unselige Quelle des religiösen Fanatismus, das oberste metaphysische Prinzip der Menschenopfer, kurz die ‚prima materia' aller Greuel, aller der schaudervollen Szenen im Trauerspiel der Religionsgeschichte.

5. Eine klassische Vorlage.

Wer Ludwig Feuerbachs ‚Theogonie' einläßlich beurteilen wollte, müßte vor allem darauf hinweisen, daß die Meinungen des religionsfeindlichen Kritikers nichts Ursprüngliches sind. Unvergleichlich viel treffender ist, was der Stifter der eleatischen Schule, Xenophanes aus Kolophon (geb. um 570 v. Chr.), vor 2400 Jahren in der Richtung vorgebracht hat, in welcher die Weisheit des Epigonentums das Wort für das Rätsel des Gottesglaubens auf Erden vermutet. Den Götterglauben bei Homer und Hesiod zu verspotten in seiner Nichtigkeit, hatte Xenophanes auf die Quelle hingewiesen, aus der die Wahnvorstellungen entsprungen seien. Die Götter nämlich in ihrer Vielzahl sind nichts anderes als die Erzeugnisse der menschlichen Einbildungskraft. Jeder denkt sich seinen Gott so, wie er selbst ist, mit allem begabt, was er selbst besitzen möchte, zu allem befugt, was er selbst tun zu dürfen wünschen möchte. Die Götter der Äthiopier sind schwarz und plattnasig, die der Thrazier rothaarig und blauäugig, und wenn die Pferde, die Stiere zeichnen könnten, würden ihre Götter Gäule sein und Ochsen. In Homers Himmel aber herrscht eitel Wonne, weil dort auch das erlaubt und göttlich ist, was hienieden verboten, weil schimpflich ist, Betrug, Diebstahl, Ehebruch.

> „Zwischen Sinnenglück und Seelenfrieden
> Bleibt dem Menschen nur die bange Wahl:
> Auf der Stirn des hohen Uraniden
> Leuchtet ihr vermählter Strahl."

So singt der Dichter der Spätzeit, und er wiederholt unbewußt und teilweise was der alte Denker in anschaulicher Form ausgesprochen: die Götter sind die von der Phantasie personifizierten Wunschgebilde des ungezügelten Menschenherzens. Wenn Ludwig Feuerbach dasselbe nochmals sagt, dann ist das eine Wiederholung aus zweiter Hand. Eine wissenschaftliche, d. h. allgültige Beantwortung der Frage, wie die religiösen Vorstellungen in der Menschenseele entstehen, wäre die Wiederholung auch dann nicht, wenn Xenophanes' Meinung für ihre Zeit zuträfe[1].

---

[1] Xenophanes' drastische Sätze bei Clemens von Alexandrien, Strom. 5, 601; 7, 711; Eusebius, Praepar. evang. 13, 13; Sextus Empirikus, Adv. Math. 9, 193:

... βροτοὶ δοκέουσι θεοὺς γεννᾶσθαι
Τὴν σφετέρην τ' αἴσθησιν ἔχειν φωνήν τε δέμας τε...
Ἀλλ' εἴτοι χεῖράς γ' εἶχον βόες ἠὲ λέοντες
Καὶ γράψαι χείρεσσι καὶ ἔργα τελεῖν ἅπερ ἄνδρες,
Ἵπποι μέν θ' ἵπποισι, βόες δέ τε βουσὶν ὁμοίας
Καί κε θεῶν ἰδέας ἔγραφον καὶ σώματ' ἐποίουν
Τοιαῦθ' οἷόν περ καὶ αὐτοὶ δέμας εἶχον ἕκαστοι.

. . . .

Πάντα θεοῖς ἀνέθηκαν Ὅμηρός θ' Ἡσίοδός τε,
Ὅσσα παρ' ἀνθρώποισιν ὀνείδεα καὶ ψόγος ἐστίν·
Κλέπτειν, μοιχεύειν τε καὶ ἀλλήλους ἀπατεύειν.

. . . .

Αἰθίοπές τε μελάνας σιμούς τε, Θρᾶκές τε πυρροὺς καὶ γλαυχοὺς τοὺς θεοὺς διαζωγράφουσιν.

6. Materialistische Sophistik.

Lassen wir die geschichtlichen Vorbedingungen, aus denen Feuerbachs Meinungen über den Ursprung des religiösen Gedankens hergeleitet werden könnten, beiseite! Haben die Meinungen, unter logisch-
sachlichen Gesichtspunkten gewertet, etwas von Wissenschaft an sich?

Ludwig Feuerbach hat zuletzt den Kanon der Wahrheit in dem Satze
gefunden: „Der Mensch ist, was er ißt."[1] Damit stehen wir vor dem rohen,
ungekochten Materialismus. Ihm sind Körperliches und Seelisches eins;
höchstens kann man zwischen beiden den Unterschied machen, der für
einen Beobachter herausspringt, wenn er dasselbe Ding jetzt von außen
oder von oben, ein anderes Mal von innen oder von unten besieht. Der
Unterschied darf jedenfalls nicht in dem Sinne des psychophysischen
Parallelismus, der auf David Hartley (1704—1757) zurückgeht, verstanden werden. Der englische Physiologe läßt die irgendwie verur-
sachten zitternden Schwingungen der Nerven sich in das Gehirn fortpflanzen, und den Veränderungen hier sowie den Verknüpfungen der
Molekularvorgänge im Gehirn sollen dann Bewegungen im Bewußtsein des
Menschen entsprechen, die einfachen Vorstellungen und deren Verbindungen. Es stehen somit körperliches und geistiges Geschehen in einem
Parallelismus, der zwar Determinismus ist, der aber die wesentliche Verschiedenheit zwischen Leib und Seele nicht aufhebt, sondern voraussetzt.

Für die Materialisten ist das leiblich-seelische Erzittern in Wirklichkeit das Sichregen eines und desselben Seienden; dort sind es gezählte,
hier sind es sich zählende Schwingungen der Materie, die ihre eigenen
Zustände spüren soll. Jene sollen die unbewußten, diese die bewußten
Vorgänge im Menschen sein (Empfinden, Vorstellen, Fühlen, scheinbar
willkürliche, scheinbar freie Strebungen).

Nun ist es eine geläufige Anschauung, die heute von der Natur-
wissenschaft in die Worte gefaßt wird, daß zu den schlimmsten Irrungen
des menschlichen Geistes die Zurückführung des Denkens auf materielle
Vorgänge gehört[2]. Schon der psychophysische Parallelismus, der eben nur
steif behauptet:

---

[1] Rezension von Moleschotts ‚Lehre der Nahrungsmittel für das Volk' (1850).

[2] Das Thema von Emil du Bois-Reymonds (1818—1896) berühmten Vorträgen:
‚Über die Grenzen des Naturerkennens' (1872) und ‚Die sieben Welträtsel' (1880) hat
neuestens insbesondere J. Reinke aufgenommen und in scharf antimonistischem Sinne
weitergeführt. Vgl. neben den größeren Arbeiten (s. unsere Prorektoratsrede 32 A. 2)

„Das Erst' wär' so, das Zweite so,
Und drum das Dritt' und Vierte so:
Und wenn das Erst' und Zweit' nicht wär',
Das Dritt' und Viert' wär' nimmermehr" —

diese Philosophie mit ihren gräßlichen Fremdnamen sieht doch bloß aus wie eine Umschreibung unserer Unwissenheit. Wie Gedanken in uns nicht von leiblichen Zuständen begleitet sein, sondern durch aufeinander stoßende Atome, durch Druck, Zug und mechanische Arbeit materieller Teilchen erzeugt werden können, ist völlig und für immer unvorstellbar.

Dazu kommt, wird mit Recht betont, daß die lokalen Bewegungen, die Umlagerung und Erschütterung unserer Hirnatome, wodurch das Denken hervorgebracht werden soll, in ihrer unendlichen Kleinheit keineswegs faßbarer sind als die Seele selbst. Die materialistische Erklärung der Seelenvorgänge bietet also nicht einmal den Vorteil, daß ein Unbekanntes auf ein weniger Unbekanntes zurückgeführt wäre. Die Behauptung des älteren Materialismus vollends, daß die Gedanken vom Gehirn abgesondert würden, wie die Galle von der Leber, ist eine Ungeheuerlichkeit. Sie ist wohl am treffendsten verspottet worden durch Claude Bernard, welcher meinte: Man könnte dann auch ungefähr sagen, die Stunde, die Idee der Zeit sei eine Ausscheidung der Uhr.

Der Hellene Protagoras hat den Menschen das ‚Maß der Dinge' genannt, der seienden, daß sie sind, der nichtseienden, daß sie nicht sind. In der Tat ist nur das von mir wirklich gesehene Rot, das wirklich geschmeckte Süß, das wirklich getastete Rund für mich rot, süß, rund. Nur soweit die Menschen in ihren Sinnesempfindungen übereinkommen, können sie sich über die Wirklichkeit des Empfundenen verständigen. Der Sophist aber verkennt, daß die Gesetzmäßigkeit unserer psychologischen Auffassungsweise, weiter die logische Richtigkeit unseres Denkverfahrens nicht mehr ist als eine notwendige Vorbedingung des Wissens und aller Wissenschaft; Protagoras macht das folgerichtige Empfinden nicht bloß zu einem Maße für die Erkenntnis der Dinge, sondern zu dem Maß der Dinge selbst[1].

die „leichtverständlichen Aufzeichnungen" des Verfassers in ‚Die Natur und Wir' 23 ff 171 ff 182 ff 228 ff. Den flachsten Verirrungen des Materialismus, dem der Mensch ein Wesen ist, „an seinem einen Ende ausgedehnt, am andern denkend", verfiel bekanntlich zuletzt auch David Strauß. Siehe ‚Der alte und der neue Glaube', namentlich von S. 209 ab.

[1] Um die ‚relative Wahrheit' des protagoreischen Grundgedankens und zugleich die Einseitigkeit des Verzichtes auf eine ‚objektive Norm' für das Wissen anschaulich zu machen, zitiert man gerne, z. B. Überweg noch im Grundriß der Geschichte der Philosophie des Altertums[7] (1886) 97, aus dem Goethe-Zelterschen Briefwechsel und aus den Maximen des Altmeisters dessen Sätze: „Ich habe bemerkt, daß ich den

Den Fehler des Sophisten verschlimmert noch der materialistische Sensualist. Es ist lediglich eine Wendung der Höflichkeit, wenn dieser den ‚gebildeten‘ Sinn dem ‚rohen‘ Sinn überordnen will. Denn er weiß den Grund nicht anzugeben, der zu der Unterscheidung berechtigen soll. Das ‚Sinnliche‘ eben ist dem Bestreiter alles Seelischen das Wirkliche. Das heißt: das bloße, blinde Empfinden — dessen Art und Ursprung kein Gott zu deuten vermag — ist das einzige und ausschließliche Kriterium für die Realität des Empfundenen. Somit wäre das Kind, das beim Anblick des Mondes nach der Scheibe faßt, weil ihm der Sinneneindruck die ganze Wirklichkeit und die rechte Form des Wirklichen ist, nicht bloß auf dem geraden Wege zur Wahrheit, sondern im vollen Besitze der zutreffenden ‚Weltanschauung‘.

Daß die kindliche Verwechslung zwischen Sinnenschein, Sinnentrug und Wirklichkeit auf Einbildung beruht, weiß jedermann, auch ohne Kenntnis der unsinnlichen, übersinnlichen Regeln, deren Anwendung, z. B. des Grundsatzes: ‚Dieselben Ursachen haben unter denselben Umständen dieselben Wirkungen‘ — sich die wissenschaftliche Naturbeobachtung zum Gesetze macht. Die „vollkommen Wissenden“ freilich, denen die „feste Speise“ der reinen Wahrheit vorbehalten ist, können nur diejenigen sein, „deren Sinne durch Übung herangeschult sind zur Unterscheidung von Gut und Schlimm“ [1].

Ludwig Feuerbach nimmt das Empfinden der Sinne, wie immer sie empfinden mögen, für das Empfundene, setzt die falsche Einbildung

Gedanken für wahr halte, der für mich fruchtbar ist, sich an mein übriges Denken anschließt und mich fördert. Nun ist es nicht allein möglich, sondern natürlich, daß sich ein solcher Gedanke dem Sinn des a n d e r n nicht anschließe, ihn nicht fördere, wohl gar hindere, und so wird er ihn für falsch halten. Ist man hiervon recht gründlich überzeugt, so wird man nie kontrovertieren . . .“ „Kenne ich mein Verhältnis zu mir selbst und zur Außenwelt, so heiße ich's Wahrheit. Und so kann jeder seine eigene Wahrheit haben, und es ist doch immer dieselbige.“ — Nach Protagoras-Goethe wird man nicht nur nie ‚kontrovertieren‘, sondern auch nie wissenschaftlich sich verständigen. Denn die Wissenschaft hat es nicht mit den verschiedenen Ansichten über die Wahrheit, sondern mit der W a h r h e i t s e l b s t zu tun. Die W a h r h e i t aber, wie jüngst geschehen, „die Gleichung“ nennen wollen „zwischen dem Erkennenden und seiner Geistesstufe und Geistesentwicklung einerseits, und dem Ideal“ — ist das Gegenteil von Logik und Noetik. Der Ungedanke, der sich hinter die Phrase vom ‚Ideal‘ versteckt, wäre der Umsturz aller Wissenschaft, zumal der Mathematik. In der Tat! Die Mathematik ist nicht die g a n z e Wissenschaft; aber o h n e Mathematik gibt es kein beweisbares Wissen. Daher ‚μηδείς ἀγεωμέτρης εἰσίτω‘. Denn ‚ὁ θεὸς ἀεὶ γεωμετρεῖ — Gott denkt ewig Geometrie‘. Vgl. Herman Schells Brief an Professor Nippold vom 19. Februar 1900.

[1] Hebr 5, 14: τελείων δέ ἐστιν ἡ στερεὰ τροφή, τῶν διὰ τὴν ἕξιν τὰ αἰσθητήρια γεγυμνασμένα ἐχόντων πρὸς διάκρισιν καλοῦ τε καὶ κακοῦ.

Braig, Vom Wesen des Christentums.

statt der wirklichen Erkenntnis und statt der Erkenntnis des Wirklichen. Die Philosophie des Materialisten geht somit in einer Phantasietäuschung auf, und ihr Urheber überführt sich selber der Ungereimtheit, wenn er die religiöse Vorstellung, die Vorstellung vom Göttlichen als Selbstvergötterung des von der Phantasie beirrten Menschen erklärt[1].

Feuerbachs Meinungen würden keine Berücksichtigung weiter verdienen, wären sie nicht, als sie ans Licht kamen, wie prophetische Offenbarungen begrüßt worden. Und heute noch weiß die große Schar der materialistischen Monisten, wenn es sich um das Höchste im Reiche des Gedankens, um den Gedanken des Göttlichen handelt, nicht mehr zu bieten, als eine modernisierte Wiederholung der Illusionen, welche die Vorstellung vom persönlichen Gott die Zentralillusion des Menschengeschlechtes heißen[2].

---

[1] Unwillkürlich denkt man des Witzes, mit dem David Strauß (Der alte und der neue Glaube 146) den Pessimismus abtut, und wodurch der optimistische Materialist den Grimm Eduard Hartmanns erregt hat. „Wenn die Welt ein Ding ist", sagt Strauß, „das besser nicht wäre, ei, so ist ja auch das Denken des Philosophen, das ein Stück dieser Welt bildet, ein Denken, das besser nicht dächte. Der pessimistische Philosoph bemerkt nicht, wie er vor allem auch sein eigenes, die Welt für schlecht erklärendes Denken für schlecht erklärt. Ist aber ein Denken, das die Welt für schlecht erklärt, ein schlechtes Denken, so ist ja die Welt vielmehr gut." Jedenfalls hat, wer schon phantasiert, indem er die falschen Götter für Phantasieschöpfungen erklärt, seine Zuständigkeit, in der Frage nach dem wahren Gott mitzureden, verwirkt.

[2] Das Äußerste in Verhöhnung des ‚persönlichen Anthropismus Gottes', dessen Motto lauten soll: „In seinen Göttern malt sich selbst der Mensch" — hat Ernst Haeckel geleistet. Seiner ‚Wissenschaft' zufolge ergeht sich bei der großen Mehrzahl der Gläubigen die Phantasie in den mannigfaltigsten Dichtungen über Gott, und man stößt sich keineswegs daran, diesen Gott in Menschengestalt, d. h. als ein „Wirbeltier" vorzustellen. Die „höheren und abstrakteren Religionsformen", die Gott als „reinen Geist" verehren wollen, führen „zu der paradoxen Vorstellung Gottes als eines sogenannten gasförmigen Wirbeltieres" — eine Entdeckung, durch welche Haeckel schon 1866 die Religionswissenschaft bereichert hat. Neuerlich meint der Verfasser der ‚Welträtsel' (Volksausgabe 124), daß demjenigen, der u. a. Feuerbachs ‚Wesen des Christentums' gelesen, eine weitere Polemik gegen die Religion überflüssig erscheinen könnte. Feuerbachs ‚Philosophie', aus dem Groben völlig ins Rohe gezogen, ist überhaupt Haeckels ‚Philosophie'. Vgl. eine Anzahl derbster Urteile bei J. Reinke: ‚Haeckels Monismus und seine Freunde. Ein freies Wort für freie Wissenschaft' (1907). Wilhelm Wundt (‚Metaphysik' in der ‚Kultur der Gegenwart' Teil 1, Abt. 6 [1907], S. 123 f) geht sehr schonend mit Haeckel um, sagt aber, daß dessen Metaphysik — Stoff und Kraft der greifbaren Massen und des Äthers; Lust der Atome bei Verdichtung, Schmerz bei Verdünnung der Stoffe; sexualähnliche Wahlverwandtschaft, Fühlen und Streben der Atome; Seelenzellen, Empfindungs- und Willenszellen — „ganz und gar dem poetischen Stadium" der Spekulation angehört, aus „willkürlichen Einfällen und unbestimmten Analogien" besteht, „bei denen man sich trotz moderner Anspielungen in die Zeit zurückversetzt fühlt, wo die Kunst des strengen logischen Denkens noch nicht entdeckt war und die positive Wissenschaft

II. Albert Lange.

Aus der Bewegung materieller Teilchen ist die Empfindung nicht erklärbar; aus bloßem Empfinden ist das Erkennen nicht begreifbar. Wie für die Gestaltung und die Verbindung der Empfindungseindrücke, welche die Sinne liefern, die Tätigkeit der Phantasie notwendig ist, daß Vorstellungen vom Empfundenen gebildet werden können, so muß die Tätigkeit des Urteilens, des Trennens und Verknüpfens zu dem von der Phantasie geformten Empfindungsmaterial hinzukommen, wenn aus den Vorstellungen die Begriffe erhoben und diese für das Anschauen in Beziehung untereinander gebracht werden sollen.

Nennen wir die Grundfunktion, durch die unsere erste Wahrnehmung wie unsere letzte Wahrheitserkenntnis bewirkt, durch die die Entstehung von Empfindungen und das Wissen um dieselben, das Bewußtsein und die Ordnung seines Inhaltes bedingt ist, nennen wir diese Funktion das bewußte Unterscheiden, das Auffassen und Vergleichen, das Auseinanderhalten und Zusammenfassen aller der Veränderungen, die an uns und in uns vorkommen können und, woher immer veranlaßt, vorkommen: dann ist einleuchtend, daß das Unterscheiden mittels des Sinnes, der Phantasie, des Urteilens, das bewußte Unterscheiden also von Veränderungen in uns und außer uns etwas anderes ist und mehr sein muß als die (materiellen) Veränderungen selber. Das wird so sicher zutreffen, als mein Zählen etwas anderes ist als das von mir Gezählte, weiterhin, daß mein Urteilen über das Zählbare, mein Eindringen in das Innere, mein Suchen nach den Gründen des Sinnendinges anderes und mehr bedeutet als das Sinnending selber und alles das, was an ihm ist und in ihm vorgeht.

Das Andere und das Mehr, das es uns ermöglicht, daß wir ein Vorliegendes, ein Vorgelegtes uns vorstellen, daß wir die Vorstellung mit dem Vorgestellten vergleichen, daß wir die Vorstellung ohne das Vor-

sich noch auf ihrer Kindheitsstufe befand". „Der Beifall, dessen sich die ‚Welträtsel‘ erfreuten, zeigt, daß die primitive poetisch-mythologische Metaphysik kein singuläres Phänomen ist, sondern daß sie oder etwas, das ihr ungefähr ähnlich sieht, eben ın Kreisen, die sich der religiösen Metaphysik ihrer Kinderjahre entwachsen fühlen und nun irgend einen Ersatz dafür haben möchten, weit verbreitet ist." Etwas, das der ‚poetisch-mythologischen‘ Metaphysik ähnlich sieht, nur in abstrakt unfaßlichen Formen gehalten, ist auch Wundts ‚anthropomorphistisch-evolutionistisch-monistischer Voluntarismus‘, der, wie wir sehen werden, unter dem Zeichen der ‚personifizierenden Apperzeption‘ steht. So oft Ernst Haeckel etwas nicht weiß und doch reden will, dichtet er womöglich ein griechisch klingendes Fremdwort. Wundt bevorzugt auch die Fremdwörter über Gebühr.

gestellte festhalten und bearbeiten, daß wir die reinen Vorstellungen an anderem Vorgestellten und an andern Vorstellungen messen — das Andere und das Mehr, das unser Tun über alles materielle Sein und über all dessen Bewegungen hinaus in sich hat, nennen wir seine immaterielle, seine geistige Bestimmtheit. Unsere Unterscheidungskraft, auf der unser Bewußtwerden und Bewußtsein und das Wissen um den gesamten Inhalt unseres Bewußtseins ruht, ist darum eine geistige Kraft. Und unsere Seele, wie wir die Trägerin der Unterscheidungskraft heißen, die Inhaberin all der Kräfte des Empfindens, des Erinnerns, des Bewertens von Innenvorgängen und Außendingen (Fühlen), des Strebens und Sichentschließens (Wollen), die Seele ist ein geistiges Wesen. Das will sagen: unsere Seele ist ein Anderes als das Sinnliche, Materielle, weil sie ganz anders sich gibt, ganz anders sich regt, sich verhält, als all das, was bloß sichtbar, tastbar, hörbar, riech- und schmeckbar, was dicht, träg, schwer, undurchdringlich ist. Das Unterscheiden der Seele, kraft dessen sie sich über das Materielle zu erheben im stande ist, kraft dessen sie alles, was sie beurteilt, sich gegenüberzustellen und sich selbst allem gegenüberzustellen vermag, hat das Unterschiedensein der Seele von allem außer ihr, namentlich ihr Verschiedensein von der Materie zur notwendigen Voraussetzung. Oder will jemand, nicht in der Manier von Ernst Haeckel, sondern im Ernste sagen, das seelische Unterscheiden sei ganz genau dieselbe Energie wie das Sichanziehen und Sichabstoßen der Moleküle — eine Energie, deren Wesen Haeckel meint ‚erklärt‘ zu haben, wenn er das ‚Empfinden‘ eine ‚Grundtätigkeit‘ der Materie genannt hat? Wäre das menschliche Empfinden wirklich erklärt, wenn es für eine ‚selbstverständliche‘ Steigerung des materiellen Empfindens ausgegeben wäre?

In der Tat, so gewiß unser Sehen einer blauen Farbe nicht etwas blau Gefärbtes, sondern ein ganz Anderes und gar nicht zu vergleichen ist mit dem Stoff und seiner Färbung, so gewiß muß die empfindende, sehende Seele ganz ein Anderes sein als alles Empfundene, als alles Gesehene, mit keinem der materiellen Dinge, mit keinem der materiellen Vorgänge vergleichbar. Wer unsere Andeutungen durchdenkt und sich überzeugt, daß die materielle Wirklichkeit nicht die ganze Wirklichkeit sein kann, schon weil unsere Auffassung des Materiellen zwar ebenso wirklich wie dieses, aber völlig anders, ein völlig Anderes ist und auf ein völlig Anderes hinweist, als das Sinnenfällige darstellt: für den ehrlich Prüfenden müssen die Zauber des Materialismus und seiner Wissenschaft, insbesondere seiner Phantasien in Sachen der Religion und ihrer Wissenschaft, gänzlich zerrinnen, sobald er die Unfähigkeit der materialistischen Psychologie durchschaut hat, ähnlich wie der trübe Schein in einer Seifenblase verschwindet, wenn diese geplatzt ist.

Nicht so wie mit den Versuchen, welche die religiöse Vorstellung in der Menschheit als eine Phantasiespiegelung gewisser Schwingungen in kranken Menschengehirnen gedeutet haben wollen, verhält es sich mit den idealistischen Darstellungen, welche die Religion aus der Phantasie herleiten möchten. Ein Beispiel gibt Friedrich Albert Lange.

1. Langes Standpunkt.

Friedrich Albert Lange räumt ein, und seine vielgelesene ‚Geschichte des Materialismus‘[1] sucht den Nachweis zu erbringen, daß, wenn es eine Wissenschaft der Metaphysik gäbe, ein Wissen also von dem, was hinter den Gegenständen der Sinnenerfahrung ist, und von dem, was dort vorgeht, daß der Materialismus dann das annehmbarste der metaphysischen Systeme wäre. Denn der Materialismus, der alles sinnlich Grobe und Große zurückzuführen strebt auf ein unendlich Feines und Kleines, will mit greifbarer Deutlichkeit zeigen: Nur die genaue Bearbeitung des Wahrnehmungsstoffes vermag wahre Erkenntnis, so diese uns vergönnt ist, zu schaffen; dagegen bleibt es ein anmaßender Wahn, wenn jemand meint, aus reinen Begriffen sei herauszuholen, was nun einmal lediglich die Sinnenerfahrung zu liefern im stande ist. Wie kann man mittels reiner Begriffe in das Wesen der Dinge eindringen, ohne daß zuvor entschieden ist, ob überhaupt Dinge sind? Die Entscheidung kann aber anders als auf das Zeugnis der Sinnenempfindung und ihres Inhaltes hin nicht gefällt werden.

Indessen, versichert Lange, der Materialismus ist, ob zwar die erste und nächstliegende, doch nur die niedrigste Stufe unserer Weltanschauung. Für sich und beim Wort genommen, ist die materialistische Metaphysik nicht bloß etwas ganz Unfertiges, sondern etwas Haltloses.

Vor allem ist die Sinnenwelt nicht die gesamte Wirklichkeit.

---

[1] Fr. Alb. Lange, geb. 28. Sept. 1828, gest. 21. Nov. 1875. Verdienstvoll ist die ‚Geschichte des Materialismus und Kritik seiner Bedeutung in der Gegenwart‘ (erstmals 1866; 7. Aufl. 1902). Das Buch ist die Ouvertüre zum Skeptizismus des Neokantianismus, in der Beweisführung haltlos, in der Darstellung geistreich. Vgl. die leichte Arbeit von O. A. Ellissen, Friedrich Albert Lange. Eine Lebensbeschreibung, 2. Aufl. 1894.

Das Reich der sinnlichen Erscheinungen gibt sich uns allen in ein und derselben Weise kund; denn die Sinnesorganisation ist eine Bestimmtheit nicht des menschlichen Individuums bloß, sondern der menschlichen Gattung. Wird nach dem letzten Grunde für die Ordnung der Erscheinungen und für die Einrichtung unserer Organisation gefragt, so vermag der materialistische Sensualismus eine Antwort nicht zu geben. Und noch viel weniger als auf die Frage: Woher die Dinge und deren gleichmäßige Erscheinung für uns? kann der Materialismus ein Wort oder gar das letzte Wort sagen, wenn man zu wissen verlangt: Wohinaus mit den Dingen? welches ist der oberste Sinn der Wirklichkeit?

Oder ist diese Frage verboten? Die Spekulation versucht es, nach Lange durchaus berechtigt, das Rätsel zu lösen. Die verwirrende Vielheit der Erscheinungen wird geordnet in der Form der Gesetzmäßigkeit und der Harmonie, und diese wird auf Urnormen zurückgeführt, auf die Ideen. Freilich kann die Spekulation nicht beweisen, daß den Ideen jeweils wirklich seiende Träger entsprechen; aber regulative Bedeutung kommt ihnen entschieden zu, was am augenfälligsten ist im Bereiche des sittlichen Tuns des Menschen. Sieht dies nicht anders aus, wenn die Idee der Gerechtigkeit regiert, und ganz anders, wenn die Idee verneint wird?

Ideen zu fordern, drängt uns unsere Natur. Wir sind gehalten, dem Erkenntnismaterial, das die Sinne liefern, eine Gestalt der Vollendung zu suchen, und dieser Gestalt gemäß, ihrer Idee entsprechend, ein Ideal des Handelns zu entwerfen. Es ist wahr, ein sicher leitendes Prinzip, wie der Zwang der gattungsmäßigen Erfahrung ein solches ist, fehlt dem drängenden Suchen. Das Streben der Vernunft, was das Fordern von Ideen und Idealen ist, betätigt sich vielmehr in einer Weise, die von der individuellen Eigentümlichkeit des Menschen, nicht von der gattungsmäßigen Bestimmtheit der Menschen vorgeschrieben ist. Das ist, im Unterschiede von dem streng exakten Wahrnehmen der sinnlichen Auffassung, die Weise des Dichtens.

Das Gebiet der Dichtung, die sich in dem ,Einen, was not tut', in dem Reiche des Wahren, Guten und Schönen bewegt, ist das der theoretischen und ethischen Spekulation, der Kunst und der Religion gemeinsame Gebiet. Die Empirie ist das Räderwerk, die Idee ist die Triebfeder des geistigen Tuns, und dies schon in den ersten Anfängen des Wissenwollens. In den Bezirken des Handelns und des Glaubens ist es viel weniger wichtig, zu erkennen, was die Formen des Seinsollenden sind, also was das Gute, Schöne, Heilige für sich ist; weit wichtiger ist es dem Menschen, sich zur Verwirklichung des Seinsollenden bewegen zu lassen. Unvergleichlich wertvoller als der Stoff der Vorstellungen sind die Gedankenbilder der Wahrheit und der Vollkommenheit, die sich in dem Stile der Vorstellungsarchitektur ausprägen, und die sich in dem Eindrucke der Vorstellungsarchitektur auf unser Gemüt zur Geltung bringen.

Die Unterscheidung: Die Ideen sind nicht transszendent-objektive, nicht konstitutive, sondern dem Subjekt immanente, regulative Prinzipien der Erkenntnis — will den Standpunkt des ‚Neukantianismus‘ zeichnen und Kants ‚transszendentalen Idealismus‘ in der Richtung auf den subjektiven Skeptizismus verschärft sehen. Wie ist diese Meinung, Albert Langes Standpunkt, näherhin zu verstehen? Wie ist hiernach der Wert der religiösen Vorstellungen aus der Art ihres Ursprunges in der Menschenseele zu begreifen?

2. Ursprung der religiösen Vorstellung.

Am Schlusse des Vorwortes zum zweiten Buche der ‚Geschichte des Materialismus‘[1] drängt Friedrich Albert Lange seine Philosophie in e i n e Behauptung zusammen. Die wahre Erkenntnis, meint er, sagt uns, daß in der Naturverfassung, die uns verliehen ist ohne uns, daß in der „transszendenten Wurzel des Menschenwesens“, in der „innersten Tiefe des Subjektes“ ein doppelter Trieb lebt, und daß aus ihm mit derselben Notwendigkeit zweierlei Schößlinge emporwachsen. Durch den Sinnentrieb sind wir gedrängt, das Weltbild der Wirklichkeit mit ihren Schranken zu gestalten, und kraft des Vernunfttriebes, durch die Funktion der dichtenden, schaffenden Synthesis, erzeugen wir die Welt des Ideales, in die wir aus den Schranken der Sinne flüchten können, und in der wir die wahre Heimat unseres Geistes finden.

In der positiven und exakten Wissenschaft haben wir Bruchstücke der Wahrheit, deren Summe sich im Fortschritte des Erfahrens und Untersuchens beständig mehrt, die aber beständig die Summe von Bruchteilen bleibt. In den Ideen der Philosophie, der Kunst und der Religion haben wir Bilder der Wahrheit, welche die Wahrheit uns ganz vor Augen stellen möchten, die aber stets Bilder bleiben und mit dem Standpunkt unserer Auffassung nur ihre Gestalt wechseln.

[1] Wohlfeile Ausgabe (ohne kritischen Apparat), datiert Ende Januar 1875, zehn Monate vor dem Tode des Verfassers.

Im Kreise der Erfahrung sind wir mit unfreier Synthese tätig, indem wir die Sinnenempfindungen, deren jede schon ein Produkt aus stofflichem Eindruck und formendem Faktor ist, jeweils in ein gerundetes Ganzes zusammenfassen. So verwandeln wir die Wirklichkeit ‚an sich‘ in die Wirklichkeit ‚für uns‘ durch die Zugabe eines Einheitsbandes, das die Teile verknüpft. Norm und Richtung weist uns hierbei, so daß wir nicht ausweichen können, die gebundene und bindende Organisation des sinnlichverständigen Auffassungsvermögens.

In der Spekulation arbeitet der Geist mit halbfreier Synthese. Er verleiht den Gegenständen der Wirklichkeit, welche die der Gattung sich offenbarende Erscheinungswelt ausmachen, eine höhere Form der Ganzheit, und zwar verfährt der spekulative Geist nach den Normen, die in der Individualität des Einzelmenschen bald dürftiger, bald in urbildlichem Reichtum angelegt sind.

Völlig frei ist die schaffende Synthese der Dichtung. Sie ist auf die Erzeugung der höchsten Einheit, der reinsten Harmonie, der mangellosen Gestalt eines Ganzen gerichtet.

Von der Kunst wird das Ganze hingestellt in den Schöpfungen der Schönheit. Auf dem Gebiete des Handelns tritt das Kunstwerk der Sittlichkeit, die nach Beweggrund und Maßstab musterbildliche Tugend- und Heldengestalt hervor. Das Reich endlich, wo die in vollendeter Freiheit schaffende Synthesis Einheiten, Harmonien, Gestalten erzeugt, die höher und reiner nicht gedacht werden können, ist die Welt des Heiligen, Himmlischen, Göttlichen, die Welt der Religion, die Heimat des Ideales schlechthin.

3. Psychologie der religiösen Vorstellung.

Zählen wir die Momente zusammen, die nach Albert Lange den Ursprung der religiösen Vorstellung bedingen!

Zunächst macht sich das uralte Problem vom Verhältnis des Ganzen zu den Teilen geltend. Jedes Gebilde menschlichen Vorstellens wiederholt und löst die Aufgabe: Den Bruchteilen, auf die unser Empfinden der an sich unerkennbaren Wirklichkeit stößt, eine Form zu schaffen, in welcher die auseinanderliegenden Vielheiten als einheitliche Erscheinungen, als ganze Wirklichkeit für uns der Anschauung darzubieten sind. Der Techniker beispielsweise weiß sich an den ihm vorliegenden Stoff und an den Zweck gebunden, dem eine gesuchte Erfindung dienen soll.

Die Idee des Ganzen aber, die Stoff, Form und Zweck in dem vorgestellten, geistig vorausgenommenen Maschinengebilde beherrscht, springt dem erfinderischen Geiste wie aus dem Nichts hervor.

Eine besondere Erscheinungsform des Urtriebes, demgemäß wir zu jedem Teil das Ganze, zum Unfertigen das Fertige, zum Beschränkten das Unendliche suchen, ist der Religionstrieb. Er ist der Drang, das von uns kraft der Natur ersehnte Idealbild denkbar höchster Vollkommenheit in Ideen vor uns hinzustellen. Die Kraft, das Bild zu entwerfen und Bilder nach dem Ideal auszuformen, stammt aus der Fähigkeit der ‚schöpferischen Synthesis‘. Das ist die zeugende und erzeugende Phantasie. In der Architektur ihrer Ideen baut sie dem Ewigen, dem Unendlichen den Tempel der Verehrung.

Wie unwiderstehlich das dichtende Prinzip des Menschengeistes in der Religion tätig ist, ersehen wir daraus, daß der Urgrund des Seins, als ob es unvermeidlich wäre, zum ‚Vater‘ gemacht wird. Bei Homer wird Zeus ständig als „πατὴρ ἀνδρῶν τε θεῶν τε" angeredet. Wozu geschieht dies? Es kommt davon, weil das Menschengemüt nicht umhin kann, sich ein Wesen vorzustellen, das uns persönlich liebt, das seinen Arm nach uns ausstreckt, wenn wir in Not sind, obzwar wir gänzlich außer stand sind, von diesem Wesen, von der Art seines Seins etwas zu erkennen. Wir vermögen nicht einmal zu wissen, ob dem vorgestellten Wesen überhaupt ein objektives Sein zukommt.

Es regt sich also die Phantasie kraft des Bautriebes, der den Menschengeist drängt, über die Alltagswirklichkeit hinauszugehen, und wir gelangen mittels der Phantasieschöpfungen über die Erscheinungswelt hinaus. Der noch stärkere Drang ist das Bedürfnis des Herzens, des Gemütes, sich aus der Welt des Seienden in die Welt der Werte zu erheben, an den reinen Formen dort Erbauung, Belebung, neues Erglühen zu gewinnen, in ehrfurchtsvollem Schauer, in heiliger Scheu spürbar es zu erfahren, erschüttert inne zu werden, daß die Idee des Erhabenen schlechthin das Lösende und Erlösende ist. Was aus dem ‚Gloria in excelsis‘ tönt, ist der Grundgedanke der Erlösung selber, das Vollgefühl von der Hingabe des Einzelwillens an den Willen, der das Ganze lenkt. Gefühl und Gedanke leuchten aus den biblischen Bildern vom Tod und von der Auferstehung, sprechen aus dem Gebote, mit dem Hungrigen das Brot zu brechen und dem Armen die Frohbotschaft, das Evangelium von der Sehnsucht des Menschengemütes und ihrer Erfüllung zu künden. Und sie liegt vor, die Erfüllung, in der Idee des Erhabenen, dessen Ideal, in strahlender Herrlichkeit und unnahbarer Hoheit thronend, nicht nur das Ergreifendste und Gewaltigste, nicht nur eine weltgeschichtliche Macht, weil ein weltentflammender Gedanke ist — nein, das Ideal ist das unendlich Kostbare, das Gut, welches aus sich allein unvergänglich ist und allein um seinetwillen wert ist, unvergänglich zu sein.

Anbetend erbeben bis auf den letzten Nerv vor der Majestät des Erhabenen, des Ideales, nach welchem, dem ganz Vollendeten und dem vollendet Ganzen, der zeugende Trieb des Menschenwesens geht, das die schaffende Kraft der Phantasie schaubar macht in leuchtenden, durchleuchteten Formen, dessen Besitzen und Umfangen das Gemüt mit allen Wonnen der Seligkeit erfüllt: das heißt fromm sein, andächtig sein, beim Höchsten und im Höchsten daheim sein. Das heißt zugleich auch zur höchsten sittlichen Tat und sozialen Leistung fähig sein.

„Den Sieg über den zersplitternden Egoismus und die ertötende Kälte der Herzen wird nur ein Ideal erringen, welches wie ein ‚Fremdling aus der andern Welt' unter die staunenden Völker tritt und mit der Forderung des Unmöglichen die Wirklichkeit aus ihren Angeln reißt."[1]

Die Erkenntnis des Ideales, dessen Gestalten die Phantasie dem in schweigende Bewunderung versunkenen Gemüte zeigt, der Dienst vor dem Ideal, die sich selbst opfernde Begeisterung für das Ideal ist die ‚Religion'.

4. Langes Monismus.

Die Kritik der Ansicht von Friedrich Albert Lange wird, was ihre Pflicht ist, vor allem die Frage erheben: Auf welchen letzten Grund ist die Berechtigung und die Richtigkeit der Behauptung zu stützen, die den Ursprung der religiösen Vorstellungen aus der Tätigkeit der den Ideen und Idealen zugewandten Phantasie herleitet? Wie soll dargetan werden, daß die Gestalten der schöpferischen Kraft im Menschen, die Vorstellungen von den höchsten ‚Werten', den Freuden und Leiden, dem Fürchten, Sehnen und Hoffen der Menschenbrust Richtpunkte zu sein vermögen, wenngleich nicht zu erweisen ist, daß die Vorstellungen auf Gegenstände hinter und über ihnen, zuletzt auf ein höchstes Wesen und Gut hindeuten? Wie ist insbesondere zu zeigen, daß die Haltung unseres Gemütes gewissen Vorstellungen der Phantasie gegenüber, daß das Erschauern in den Tiefen der Menschenseele, das Gefühl des Gebunden-

---

[1] Geschichte des Materialismus 840.

und des Geborgenseins unter dem Eindruck und dem Schutze von bestimmten Gedankengebilden, die Religion, unsere ganze Religion ist?

Die Fragen werden uns förmlich aufgenötigt, wenn uns durch Langes Bewunderer versichert wird: „Während es den Philosophen allezeit darauf ankam, die Fundamente menschlichen Wissens fest und sicher zu legen und darauf ein vermeintlich solides Gebäude aufzuführen — ein Stockwerk Psychologie, ein Stockwerk Ethik, ein Stockwerk Metaphysik —, findet Lange, was die meisten finden, nämlich daß all jene Gebäude nichts weniger als solide sind; statt aber mit gleichen Mitteln einen Neubau zu versuchen, sieht er sich nach besserem Material um und baut mit Bewußtsein ein — Luftschloß."[1]

In der Tat! Nach Ludwig Feuerbach ist die Religion, sind ihre Traumgestalten, die aus der Furcht und aus der Begehrlichkeit der menschlichen Selbstsucht, mithin aus dem schlimmsten Zustande der Sterblichen entspringen, wie die Visionen und Illusionen des Fieberkranken aus den Wallungen eines überhitzten Blutes aufsteigen, törichte, betörende Dichtungen. Nach Albert Lange dagegen ist die Religion mit ihren Idealen eine notwendige, beseligende Dichtung, deren Reich von der normal arbeitenden Phantasie des gesunden Geistes in das Ätherblau hineingebaut wird, und das, den Inbegriff der unsterblichen Werte des Seinsollenden, die Phantasie als himmlische Ergänzung über der Welt des Wirklichen aufglänzen läßt. Die religiösen Ideen sollen keiner objektiven Wirklichkeit, keiner realen Träger bedürfen; der Sinn ihrer psychologischpoetischen Wahrheit soll darin aufgehen, daß sie das sittliche Wollen und Handeln des Menschen anleiten, sein rechtes Streben anspornen, sein Streben nach dem Rechten anfeuern, auf daß es sich selbst verwirkliche, sich selber Inhalt und Gehalt schaffe. Dies und nichts anderes soll das Wesen und der Zweck der ‚Religion' sein.

Der ‚Idealist des Neokantianismus' mag sich genauer erklären.

„Der Geist", schreibt Lange, indem er auf den ‚radikalsten Philosophen Deutschlands', auf den ‚gewaltigen' Fichte verweist, „der Geist, von dem im Neuen Testamente geweissagt wird, daß derselbe die Jünger Christi in alle Wahrheit leiten soll, es ist kein anderer als der Geist der Wissenschaft, der sich in unsern Tagen offenbaret hat." Und was ist seine Offenbarung? „Er lehrt uns in unverhüllter

---

[1] O. A. Ellissen, Friedrich Albert Lange 264.

Erkenntnis die absolute Einheit des menschlichen Daseins mit dem göttlichen, die von Christus zuerst der Welt im Gleichnis verkündigt wurde." (!)
Welches ist das Sinnwort der Verkündigung? „Die Offenbarung des
Reiches Gottes ist das Wesen des Christentums, und dies Reich ist das
Reich der Freiheit, die durch (monistisch-idealistische!) Versenkung des
eigenen Willens in den Willen Gottes — Sterben und Auferstehen —
gewonnen wird. Alle Lehren von der Auferstehung der Toten im physischen Sinne sind nur Mißverständnisse (!!) der Lehre vom Himmelreich,
welches in Wahrheit das Prinzip einer neuen Weltverfassung ist." Und
das Ziel der Verfassung? Die Umschaffung des Menschengeschlechtes
durch das Prinzip der Menschheit selbst in ihrer idealen (monistischen!)
Vollendung gegenüber dem Verlorensein des Einzelnen in den Eigen-
willen — das ist das Endziel[1].

Also, sieht man der Sache auf den Grund, dann ist die ‚Religion',
meint der Geschichtschreiber des Materialismus, die Selbstanschauung
und Selbstanbetung des All-Einen. Dazu gelangt das All-Eine durch die
Vorstellungs- und Gestaltungskraft der dichtenden Phantasie im Menschen. Durch die Synthesen der Phantasie schafft das All-Eine die Bahnen
und setzt es die Endpunkte seiner Selbstentwicklung, und indem es in
seinen Zielen, den vorgestellten und vorgesteckten Idealen ruht, genießt
das All-Eine, zu sich selber gekommen, der ewigen Seligkeit.

Das alles ist zwar nur menschlich gesprochen; denn was und wie
das All-Eine für sich ist, ob bewußt oder fühllos, ob lebendig oder toter
Mechanismus des Seins, kann niemand sagen und braucht niemand zu

---

[1] Geschichte des Materialismus 834. — Angeführt wird die Stelle nach dem älteren
Fichte: „Nein, verlaß uns nicht, heiliges Palladium der Menschheit, tröstender Gedanke,
daß aus jeder unserer Arbeiten und jedem unserer Leiden unserem Brudergeschlechte eine
neue Wonne entspringt, daß wir für sie arbeiten und nicht vergebens arbeiten; daß an der
Stelle, wo wir jetzt uns abmühen und zertreten werden und, was schlimmer ist als das,
gröblich irren und fehlen, einst ein Geschlecht blühen wird, welches immer darf, was
es will, weil es nichts will als das Gute — indes wir in höheren Regionen uns unserer
Nachkommenschaft freuen und unter ihren Tugenden jeden Keim ausgewachsen wieder-
finden, den wir in sie legten, und ihn für den unsrigen erkennen! Begeistre uns, Aussicht auf diese Zeit, zum Gefühl unsrer Würde, und zeige uns dieselbe wenigstens in
unsern Anlagen, wenn auch unser gegenwärtiger Zustand ihr widerspricht! Geuß Kühn-
heit und hohen Enthusiasmus auf unsre Unternehmungen, und würden wir darüber zer-
knirscht, so erquicke — indes der erste Gedanke ‚Ich tat meine Pflicht' uns erhält —
erquicke uns der zweite Gedanke: Kein *Samenkorn*, das ich streute, geht in der sittlichen Welt verloren — ich werde am Tage der Garben die Früchte desselben erblicken
und mir von ihnen unsterbliche Kränze winden" — nämlich im ‚Reiche Gottes', d. i.
im Schoße des All-Einen.

wissen. Aber die Wahrheit der Religion und die Religion der Wahrheit
für uns Menschen findet Lange in dem vorgeführten Gedanken ausgedrückt, den die Logik allerdings als die Metaphysik des monistischen
Wahnes bezeichnet. Der ,Kern der Religion' soll nun einmal lediglich
in der Erhebung der Gemüter über die Schranken der Erscheinungswelt
und in der Aufrichtung einer Heimat der Geister bestehen. Dort öffnet
der einzelne Sterbliche sich dem Willen des Göttlichen; in diesem und
seinen Gesetzen erfaßt der Mensch das normative Innere seines Willens,
und so findet er sein wahres Selbst mit der Gottheit wesenhaft geeint,
sich mit ihr und sie mit sich versöhnt.

Diese Vorstellung ist nach Langes Idealismus der tiefste Sinn und
der erhabenste Trost, den das Christentum gebracht hat. Ein unerreichtes
Muster von Beweis für die Richtigkeit der christlich-monistischen (!) Meinung wird in der philosophischen Dichtung Friedrich Schillers bewun-
dert. Das Stück insbesondere, das der Schwabensänger zuerst ,Reich der
Schatten' überschrieb und das in den heutigen Ausgaben der Schillerschen
Werke den Titel führt ,Das Ideal und das Leben', soll in dem Sonder-
beispiel einer ästhetischen Erlösung das monistische Evangelium, die Idee
der umfassenden Welterlösung, den Gedanken der Weltaufhebung im All-
Einen vortragen, und zwar mit unnachahmlicher Kraft und Schönheit[1].

---

[1] Die Hauptgedanken von Schillers Philosophie wären nach Langes Ansicht in den
Strophen etwa zu erblicken:

> „. . . Frei von jeder Zeitgewalt,
> Die Gespielin seliger Naturen,
> Wandelt oben in des Lichtes Fluren
> Göttlich unter Göttern die ,Gestalt' —
> Wenn der Gott, des Irdischen entkleidet,
> Flammend sich vom Menschen scheidet
> Und des Äthers leichte Lüfte trinkt.
> Froh des neuen ungewohnten Schwebens,
> Fließt er aufwärts, und des Erdenlebens
> Schweres Traumbild sinkt und sinkt und sinkt.
> Des Olympus Harmonien empfangen
> Den Verklärten in Kronions Saal,
> Und die Göttin mit den Rosenwangen
> Reicht ihm lächelnd den Pokal."

. . . .

Mit dem Todeskeim in der Brust schrieb Lange seiner Frau (vor einer Operation
in Tübingen): „Kann man den christlichen Gedanken der Ergebung schöner auf philosophisch ausdrücken" (als in den folgenden „prachtvollen Versen" aus Schillers ,Künstlern')?

Wie schwach die angedeutete Beweisführung sich vor dem nüchternen Verstand ausnimmt, braucht kaum bemerkt zu werden. Die Überschwenglichkeit, die trunken geworden an Schillers Reimen und Rhythmen, von denen erst zu erhärten wäre, nicht kurzerhand zu behaupten ist, daß sie den monistischen Wahn enthalten, muß ratlos stehen, wenn ihr eine einfache Tatsache entgegengehalten wird. Dante, dessen Geist und Phantasie mit der Kraft ‚schaffender Synthesis‘ unvergleichlich viel höher und tiefer gedrungen, als Schillers Genius es je vermocht hat, sieht das Ideal aus ganz anderem Grund emporblühen[1]. Wenn nun die Richtigkeit des christlichen Theismus keineswegs außer Frage gestellt ist durch den Hinweis darauf, daß Dante Alighieri klarbewußt und entschieden den Fahnen des christlichen Idealismus folgt: soll die Metaphysik des Monismus darum unbezweifelbar und unangreifbar sein, weil Friedrich Schiller — wie vorgegeben wird, nicht wie bewiesen ist — dem Ideale des All-Einen huldigt?

5. Der Paralogismus in Langes Hypothese.

Es ist nicht zu leugnen, daß der Idealismus, der nach einem Sinn im Seienden sucht, dem ernst Denkenden würdiger erscheinen muß als die billige Verneinung jeden Sinnes; dem Materialismus ist sie der Schluß aller Weisheit. Ein ideales Wort mutet uns selbst dann noch an, wenn seine reale Voraussetzung schon als haltlos erkannt ist[2]. Dessen, meinen wir, ist Albert Langes Hypothese vom Ursprunge der Religion ein Beispiel.

> „Mit dem Geschick in hoher Einigkeit,
> Gelassen hingestützt auf Grazien und Musen,
> Empfängt er das Geschoß, das ihn bedräut,
> Mit freundlich dargebotenem Busen
> Vom sanften Bogen der Notwendigkeit.“

Wenn eines ausgemacht ist, dann ist es dies: die christliche Ergebung baut nicht auf die ‚schweigenden Phantome‘, nicht auf die Bilder ‚in der Schönheit stillem Schattenlande, schlank und leicht wie aus dem Nichts gesprungen‘, nicht auf die ‚reinen Formen‘ ob der ‚Donnerwolke duftgem Tau‘. Das tut die christliche Ergebung ganz gewiß nicht, weil sie nicht vermöchte, sich auf Schattengebilde, Duftgestalten, Strahlenformen und ähnliche ‚ideale Nichtse‘ ‚hinzustützen‘.

[1] Verfasser hat in seinem Abriß der Noetik ‚Vom Erkennen‘ (1897) den Versuch gemacht, das christliche Ideal in seinem Unterschiede von dem humanistischen Ideal zu zeichnen. Vgl. S. 179—208: „Die vierte Wahrheitsquelle: die Vernunft“ (über Schiller und Dante S. 192 ff).

[2] Auf das natürlich Ansprechende des spiritualistischen Idealismus weist z. B. Augustinus hin mit den Worten (In Joann. tr. 26 post med.): „Homo es: et spiritum habes et corpus habes. Spiritum dico, quae anima vocatur, qua constas, quod homo es; constas enim ex anima et corpore. Habes enim spiritum invisibilem, corpus visibile.

Die Hypothese ist sachlich ein verfehlter Erklärungsversuch. Denn die Vorstellung des Monismus, die Lange voraussetzt und gleich einer ausgemachten Wahrheit behandelt, ist ein unvollziehbarer Gedanke. Doch ist hier nicht der Ort, die Falschheit der monistischen Metaphysik aufzudecken. Wohl aber wird der formale Fehler zu nennen sein, an dem Langes Konstruktion des Religionsbegriffes, seine Ableitung der religiösen Vorstellung aus der Tätigkeit der frei dichtenden Phantasie krankt. Der Fehler läßt sich mit mathematischer Anschaulichkeit und Deutlichkeit herausstellen.

Jede wahre wissenschaftliche Induktion ist zweierlei, heißt es in der ‚Geschichte des Materialismus': die Lösung einer ernsthaften Aufgabe ist sie, und zugleich stellt sie ein Erzeugnis des dichtenden Geistes vor. Dieser Lieblingsgedanke[1] Langes ist in seinem Kerne richtig; bei seiner Anwendung aber auf das Problem von der Entstehung der religiösen Vorstellung begeht der Mann verhängnisvolle, hoffnungslose Fehler. Das ist hervorzuheben, weil die Paralogismen, bald in dieser, bald in jener Gestalt, den Vertretern des humanistisch-monistischen Idealismus gemeinsam sind. Ein Beispiel wird unsere Anschauung verdeutlichen.

Die Entdeckung, die den großartigsten Sieg der Geisteskraft über die Materie sowie über jeden Materialismus bedeutet, was enthielt die Entdeckung des Planeten Neptun?[2] Einmal war sie die Lösung der in

---

Dic mihi, quid ex quo vivat. Spiritus tuus vivit ex corpore tuo, an corpus tuum ex spiritu tuo? Respondet omnis, qui vivit; qui autem hoc non potest respondere, nescio, si vivit. Quid respondet omnis, qui vivit? Corpus utique meum vivit de spiritu meo."

[1] Geschichte des Materialismus 827.

[2] Die Entdeckung des Planeten Neptun — durch Rechnung angesagt von Leverrier in Paris und von Adams in Cambridge 1845/46, durch das Fernrohr gesehen erstmals von Galle am 23. September 1846 zu Berlin, auf Leverriers Mitteilungen hin — gewährt ein höchstes psychologisches und noetisches Interesse. Sie stellt die Lösung der Aufgabe dar, die Alexander Humboldt also präzisiert: „Aus den gegebenen Störungen eines bekannten Planeten die Elemente des unbekannten störenden herzuleiten." Kosmos III (1850) 532. Hier ist auch (S. 555 f) ein Brief Bessels an Humboldt vom 8. Mai 1840 abgedrukt. Der Königsberger Astronom bemerkt in dem Schreiben: „Ich glaube Ihnen schon einmal gesagt zu haben, daß ich viel hierüber — an der Ausgleichung der Unstimmigkeiten zwischen den Beobachtungen des Planeten Uranus und den Berechnungen für seine Umlaufszeiten — gearbeitet habe, allein dadurch nicht weiter gekommen bin als zu der Sicherheit, daß die vorhandene Theorie (von den Himmelsbewegungen) oder vielmehr ihre Anwendung auf das in unserer Kenntnis vorhandene Sonnensystem nicht hinreicht, das Rätsel des Uranus zu lösen ... Ich meinte daher, daß eine Zeit kommen werde, wo man die Auflösung des Rätsels, vielleicht in einem neuen Planeten, finden werde, dessen Elemente aus ihren Wirkungen auf den Uranus erkannt und durch die auf den Saturn bestätigt werden könnten." Was Leverrier an die Berliner Sternwarte

ihren Elementen durchaus bekannten Aufgabe: Es soll der Grund auf-
gezeigt werden für die kleinen, aber sehr merklichen Verschiedenheiten
zwischen den Örtern am Himmel, allwo der Planet Uranus jeweils tatsächlich von den Beobachtern gesehen wurde, und den Punkten, wo der
Stern den strengen Berechnungen zufolge sich hätte befinden sollen. Sodann enthielt die Entdeckung eine Zugabe, die nicht aus den den
Astronomen bekannten Daten, den wahrnehmbaren Regelwidrigkeiten in
den Bewegungen des Uranus stammte, sondern der schaffenden Phantasie
des Astronomen Leverrier entsprang. Die Zugabe war das zum voraus
entworfene Bild des vermuteten Störenfrieds am Himmel, der den
Uranus hinderte, seine Kreise genau so zu ziehen, wie dieser es gemäß
seiner bekannt gewordenen Planetenindividualität und gemäß den durch
Kopernikus, Kepler, Newton bekannt gegebenen Himmelsgesetzen zu tun
verbunden war. Das Bild war das Bild eines gänzlich Unbekannten, die
Vorstellung von einem Wandelkörper, der, ein Sternchen von ungefähr
neunter Größe, mit einer winzigen Lichtscheibe, zu bestimmter Zeit an
einem bestimmten Ort am Himmel stehen mußte, und von dessen Bahn
um den Sonnenball sich eine bestimmte Zeichnung fertigen ließ.

Mit Hilfe der reinen Vorstellung, des Phantasieentwurfes, den Leverrier auf Grund seiner Berechnungen von dem nie gesehenen Weltkörper
machte, wurde dann das wirkliche Objekt, der bis jetzt äußerste Planet
unseres Sonnensystems aufgefunden. Stimmte der Phantasieentwurf auch
nicht völlig mit der Größe, Masse, Dichtigkeit Neptuns und mit der Gestalt seiner wahren Bahn überein, so haben die verhältnismäßig kleinen
Fehler, deren Quelle nachträglich aufzuweisen war, den Triumph der
mathematischen Astronomie nicht aufgehalten.

Welche Anwendung von der psychologischen Tatsache, die an dem
Fälle vielleicht der rühmenswertesten wissenschaftlichen Induktion geschildert worden ist, macht Friedrich Albert Lange?

Eine Phantasiedreingabe, die Form der reinen Vorstellung schafft
unsere Einbildungskraft schon bei jeder Benennung eines Vorgestellten

---

schrieb, gibt Charles A. Young (General Astronomy [1888] 369) also wieder: „Direct your
telescope to a point on the ecliptic in the constellation of Aquarius, in longitude 326°,
and you will find within a degree of that place a new planet, looking like a star of about
the ninth magnitude, and having a perceptible disc." Vgl. auch Littrow-Weiß, Wunder
des Himmels [7] 923 ff und Plaßmann, Himmelskunde (1898) 444 ff, wo die Figur der nach
den Berechnungen vermuteten und die Figur der wahren Neptunsbahn, also deren Phan-
tasiegestalt neben der wirklichen, verzeichnet ist.

und Vorstellbaren zu den gegebenen Elementen, den Sinneseindrücken hinzu; in der Form wird das Ding, die Idee durch unsere Anschauungskraft vorgestellt, oder Ding und Idee möchten in der Form vorgestellt werden. Diese Dreingabe nun der synthetischen Phantasie, die hervorkommen muß, so oft wir etwas zu fassen bemüht sind, zieht Lange für sich ab, und er füllt die reine Form mit dem denkbar reinsten Gehalte, mit den höchsten ‚Werten‘ der Wahrheit, Schönheit, Güte, Gerechtigkeit, kurz der Göttlichkeit. Die Symbole der Werte, denen für die Vollständigkeit die Beständigkeit unentbehrlich ist, werden in das Reich des Zeit- und Wandellosen erhoben. Wenn, indem und nachdem das Gemüt des Menschen von den reinen Vorstellungsformen, von den ewigen Idealen und den Idealen des Ewigen sich hat erregen, ergreifen, in die Wonne unnennbarer Seligkeit hat entrücken lassen: dann ist die ‚Religion‘ geboren! Nun befindet sich der Geist in seiner Heimat, erschauert er im Tempel des Erhabenen. Nun wandelt, ledig aller Spuren irdischer Bedürftigkeit, von unserem Sterblichen das Unsterbliche in der Vollendung Strahlen, nun wandelt ‚göttlich unter Göttern die Gestalt‘.

Lassen wir uns durch den Enthusiasmus nicht über den schlimmen Denkfehler, über den Paralogismus hinwegtäuschen, der hier mitunterläuft!

Das vollendetste wissenschaftliche Verfahren, das es gibt und das auch das Vorgehen bestimmte, dem die Auffindung des Planeten Neptun zu danken ist, die Seele jeder wissenschaftlichen Induktion ist die geometrische Analysis. Was macht das Wesentliche der Methode aus, die, wie sie sagen, Plato der Göttliche ersonnen hat?[1]

---

[1] Die vorgezeichnete Figur (S. 94, oben) ist gedacht als entstanden durch die Bewegung eines Zirkelarmes — der andere ist in der Ebene des Papiers festgelegt — von links nach rechts. Das Bild veranschaulicht die Verdoppelung eines Winkels α (Synthesis) und die Halbierung eines Winkels β (Analysis). Weiter sind die elementaren Sätze nebst Aufgaben versinnlicht, welche die Halbierung einer Geraden AC, die Errichtung und Fällung eines Lotes OB in einer Ebene, die Verhältnisse des gleichschenkligen Dreiecks AOC u. a betreffen. Die markierten Spuren der Drehung eines beweglichen Zirkelarmes veranschaulichen weiterhin die pythagoreischen Wahrheiten über das (gleichschenklige) rechtwinklige Dreieck ADE, über den Kreis, namentlich aber die Möglichkeit, einen Satz aus andern abzuleiten, eine verwickeltere Aufgabe auf eine einfachere zurückzuführen u. ä. So ist angedeutet, daß, bei geschickter Handhabung von Lineal und Zirkel, bei geschicktem Vorgehen nach der Synthesis und Analysis, es nicht zu schwierig ist, die ganze Euklidsche Geometrie aufs neue zu entdecken, was dem jugendlichen Blaise Pascal gelungen. Vgl. die biographischen Notizen über den genialen Mathematiker von Gilberte Pascal: Oeuvres complètes de Blaise Pascal I (Hachette 1866) 2 s.

Jede Wahrheit der Geometrie, von den Axiomen an, kann in zweifacher Art vorgeführt werden, als Lehrsatz oder als Aufgabe. Der

Von unvergänglichem Reiz in psychologischer Hinsicht ist Platos Erzählung im Menon (82 ff) über das Verfahren des Sokrates, der, zum Zeichen, daß der Mensch alles Wissen aus der Wiedererinnerung an die im vorzeitlichen Dasein geschauten Ideen habe (ἀνάμνησις), einen Sklaven anleitet, den pythagoreischen Lehrsatz praktisch zu erhärten, indem der Meister der Fragekunst durch den Jungen die Aufgabe lösen läßt: Ein Quadrat zu konstruieren, das doppelt so groß ist als ein gegebenes. Der Gang des sinnigen Spieles ist aus der untenstehenden Zeichnung abzulesen. Sokrates' Kunst besteht darin, daß er den Sklaven, der nur etwas Griechisch, von Geometrie dagegen nichts weiß, zunächst eine Phantasieannahme machen läßt, nämlich daß ein Quadrat über der Seite AE = 4 Zoll zweimal soviel Flächengehalt haben müsse als ein Quadrat über der Seite AB = 2 Zoll. Die falsche Meinung wird nun Schritt für Schritt nach dem Augenschein berichtigt, und zuletzt tritt das wahre Bild des gesuchten Quadrates DBHI heraus. An diesem ist leicht ein Spezialfall des pythagoreischen Lehrsatzes durch Vergleichung (Aufeinanderlegen) der kongruenten Stücke der Zeichnung für das Auge zu beweisen.

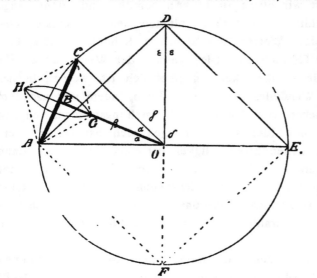

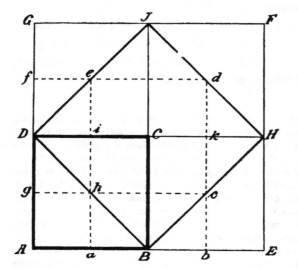

Sokrates-Plato will damit, daß jemand, und wäre er nur ein Sklave, die „ganze Geometrie" und die „sämtlichen andern Kenntnisse" aus sich heraus darzustellen fähig sei, seine Lieblingsvorstellung begründet haben, nämlich daß alles Lernen ein Sichbesinnen auf schon Gewußtes sei. Die Begründung ist sophistisch. Denn daraus, daß ich etwas Richtiges richtig ansehe

Lehrsatz kann als gelöste Aufgabe betrachtet, die Aufgabe kann in der Form eines zu beweisenden Lehrsatzes ausgesprochen werden. Der Grundsatz: ‚Zwei Linien, deren jede derselben dritten Linie gleich ist, sind unter sich gleich' — und die Grundaufgabe: ‚Eine Linie zu ziehen, die einer gegebenen Linie gleich ist' (wobei mit der Beifügung ‚gegeben = meßbar' auf die dritte Linie, den Maßstab der bekannten und der gesuchten, hingewiesen ist) — verhalten sich wie Datum und Postulatum in Bezug auf Dasselbe. Auf dem angedeuteten Sachverhalt ruht die Möglichkeit der geometrischen Analyse, die für eine gestellte Aufgabe die Lösung vorausnimmt und dann die Bedingungen untersucht, welche den Weg zur Lösung weisen. Ist die Lösung in einer Zeichnung hingeworfen, so wird die Figur zerlegt, bis genau ersichtlich geworden, wie ihre Bestimmungsstücke zusammenzulegen waren, wie sie zusammenzulegen sind, daß die Figur mit den vorgeschriebenen Eigenschaften herauskommt. Dann wird konstruiert und demonstriert.

Jedermann weiß, daß dem Geometer die Analysis nur gelingt, wenn er das Schema der von einer Aufgabe verlangten Figur zeichnen und wenn er zwischen den Teilen der Figur solche Hilfslinien ziehen kann, daß die Verhältnisse der Teilstücke untereinander nicht bloß in ihrer Tatsächlichkeit für das Auge wahrnehmbar, sondern in ihrer Notwendigkeit für den Verstand erkennbar werden.

Die Phantasietätigkeit des Mathematikers kann unterstützt werden durch den ästhetischen Sinn, durch die künstlerische Empfindung für die Schönheit einer Zeichnung, für die Symmetrie und Eurhythmie ihrer Glieder. Besonders belohnt fühlt sich der geometrische Künstler, wenn er beides zumal vor sich hat, die Richtigkeit der Lösung einer Aufgabe und die Schönheit der erforderlichen Zeichnungen. Die Eleganz des Zeichenbildes kann sogar wie eine Bürgschaft für das Zutreffen einer Lösung erscheinen, während die verdrießliche Verworrenheit der Linien Mißtrauen zu wecken pflegt. Von selber aber leuchtet ein, daß der

---

und dann die Richtigkeit (sofort) einsehe, folgt nicht, daß ich die Sache oder die Idee der Sache zuvor schon einmal gesehen haben muß, daß all mein Wissen lediglich ein Wiedersehen ist.

Die teilweise punktierte Figur A b d f veranschaulicht den Fehlversuch, das verlangte Quadrat = 2 AB², nachdem es mit der Grundlinie AE = 4 Zoll nicht gegangen, über der Seite Ab = 3 Zoll zu errichten. Der Suchende soll, wenn er gewahrt, daß seine Annahmen wieder falsch sind, in Verlegenheit versetzt werden, und so soll ihm, dem „noch nicht Wissenden", die Lust zum Weitersuchen wachsen.

mathematische Scharfsinn, der auf die in den Lehrformeln ausgesprochene Gesetzmäßigkeit der Flächengebilde geht, niemals durch die geometrische Phantasie ersetzt werden kann. Wer meinen wollte, daß er z. B. aus der Gestalt des rechtwinkligen Dreiecks, dessen eine Kathete die Hälfte der Hypotenuse ist — Plato soll, wenn wir uns recht entsinnen, diese Figur für das ,schönste', das ,vollendetste' der Dreiecke gehalten haben — allein durch Gefühlswerte, die er an die Figur gebunden sieht, etwas von den pythagoreischen Wahrheiten über das Dreieck ausmitteln könne, der müßte das Opfer arger Einbildungen geworden sein. Schlimmer noch würde fahren, wer lediglich dem Strich- und Schnörkelwerk, womit die Phantasie frei schaffend eine Figur überziehen oder umgeben mag, eine mathematische Bedeutung zusprechen wollte.

Der Fehler nun eben, dessen ein Mathematiker schuldig wird, falls er den Konstruktionen und Hilfskonstruktionen seiner Phantasie lediglich um ihrer ästhetischen Gestalt und Haltung willen einen logisch-realen Wert beizulegen geneigt wäre, ist der Fehler, den Friedrich Albert Lange auf seinem Gebiete macht. Der Fehler liegt darin, daß Lange die religiöse Vorstellung, zugleich mit den Anschauungen der metaphysischen Spekulation, aus der frei dichtenden Phantasie des Menschengeistes entspringen läßt, und daß er ohne weiteres den Erzeugnissen der Einbildungskraft, den Idealen als den Symbolen der über dem Seienden erhabenen ,Werte', normative Geltung für unser Denken und Handeln, für unser Glauben und Hoffen zutraut. Oder ist es nicht ein Paralogismus von der bösen Art, wenn ein Mathematiker sich ein Dreieck, wenn ein Forscher sich irgend ein Etwas idealisiert und dann erklärt, die realen Dreiecke, die wirklichen Dinge entständen durch ,Abstammung' von dem Idealentwurf, durch ,Teilnahme' an demselben, durch dessen ,Einwohnung' in dem Realen? Und ist der Denkfehler kleiner oder größer denn der gerügte, wenn nicht bloß reale Subjekte idealisiert und die Idealformen als die Seinsgründe der ersteren hingestellt werden, sondern wenn gar leere Prädikate, von allen Subjekten losgelöst, wie die Wahrheit, die Güte, die Schönheit, die Vollendetheit, das Gesetz und die Gesetzmäßigkeit, die Weltvernunft und vieles andere verselbständigt, dann vergöttlicht werden, und wenn man von den Phantasiegebilden der ,reinen Formen' allen Aufschluß über den Urgrund und das Endziel, über den Seinsgehalt und Seinswert der Dinge erwartet? Heißt dies die Frage: Woraus und wodurch ist ein Seiendes? nicht beantworten wollen mit dem Hinweise darauf, wie das Seiende nach der freien Phantasieanschauung und nach der Entzückung eines träumenden Gemütes beschaffen sein könnte, sollte, müßte?[1]

Wäre die Religiosität und die Religion nichts anderes als das, wofür Lange sie ausgibt, nichts als die Fähigkeit der Phantasie, in der vorbezeichneten Weise freie Ergänzungen zur herben Wirklichkeit zu dichten, nichts als die Fähigkeit des Gemütes, in der Betrachtung der Märchenbilder zu schwelgen, aus denen die Phantasie die Heimat der Seelen gemäß den Eingebungen der Sehnsucht nach der Heimat sich aufbauen mag: dann würde des Menschen höchste, herrlichste, idealste Kraft in dem Vermögen aufgehen, sich und seine Brüder über die Wirklichkeit des Daseins, über die Rätsel, Prüfungen und Ängste des Lebens und über die Schauer des Grabes hinauszuheben, sich und seinesgleichen über alles Harte und Herbe hinwegzutäuschen. Sind aber die Härten und Nöten nicht, weil jemand sich einbilden mag, daß er in der Lage sei, über alles Unfertige und Widrige hinwegzublicken?

Im unversöhnbaren Gegensatze zu der Phantastik eines Idealismus, der dem Sterblichen noch den Trost des holden Träumens, der stillenden Illusionen, der schwichtigenden Halluzinationen in — Luftschlössern übrig läßt, steht die Lehre der Erfahrung und der Logik.

Das Bild, ein von der Phantasie geschaffener Entwurf, in welchem die mathematische Analysis die Lösung einer Aufgabe zum voraus hinzustellen erlaubt, ist, wenn wir den Gedanken verallgemeinern, auf dem Gebiete der profanen Wissenschaften die Fassung der Hypothese[2].

Lassen sich die Bedingungen und Wege, die zur Auflösung eines Problems (z. B. aus der Mechanik des Himmels) führen können, und welche die Hypothese in einem Ausdrucke (z. B. kopernikanisches Sonnensystem) zusammenfaßt, restlos und bis ins einzelne aufweisen,

---

[1] Es ist ein bekannter Fehlbeweis, wenn Plato sagt: Die Dingwelt entsteht dadurch, daß sie an der Idealwelt teilnimmt (μέθεξις, κοινωνία der αἰσθητά, μιμήματα, ὁμοιώματα, εἰκόνες, εἴδωλα an den παραδείγματα· παρουσία der ἰδέαι, εἴδη, ὄντως ὄντα, παντελῶς ὄντα, οὐδέποτε οὐδαμῇ οὐδαμῶς ἀλλοίωσιν ἐνδεχόμενα in den Sinnendingen). Das ist eine eitle Verdoppelung der Dinge, die einmal als empirische Welt ‚empfunden‘, das andere Mal als Ideenwelt ‚geschaut‘ werden. Die Verdoppelung ist aber nie Seinsableitung. Den Fehler, den Platos Genie in klassisch schöner Form vorträgt, wiederholen unsere Spätlinge und geben ihm ein Gewand kümmerlicher Dürftigkeit.

[2] Die schönste Definition von Hypothese dürfte noch immer die platonische sein: ὑποθέμενος ἑκάστοτε λόγον, ὃν ἂν κρίνω ἐρρωμενέστατον εἶναι, ἃ μὲν ἄν μοι δοκῇ τούτῳ ξυμφωνεῖν, τίθημι ὡς ἀληθῆ ὄντα καὶ περὶ αἰτίας καὶ περὶ τῶν ἄλλων ἁπάντων, ἃ δ’ ἂν μή, ὡς οὐκ ἀληθῆ (Phaidon 100).

dann ist die Aufgabe lösbar. Die Durchführung der Auflösung bestätigt die Hypothese. Besser gesagt: der vorläufige Erklärungsversuch tritt nach der Durchführung der Auflösung ab vor der Theorie. So heißen wir die Erklärung eines Sachverhaltes, die durch Beobachtung, Experiment, zwingenden Schluß erhärtet ist (z. B. heliozentrische Welterklärung).

Lassen sich die Bedingungen und Wege, die eine Hypothese zur Deutung einer Erscheinung, einer Gruppe von Erscheinungen vorläufig angibt, nachträglich nicht vollständig und lückenlos auffinden, dann muß man sich an der Hypothese genügen lassen (Lichtäther-Hypothese). Sie bleibt ein möglicher, mehr oder minder wahrscheinlicher Erklärungsversuch so lange, bis durch gegenteilige Erfahrungen, umfassendere Überlegung, verschärftes Nachdenken dargetan ist, daß auf dem eingeschlagenen Wege das Ziel nicht erreicht werden kann (Instanzen). Jetzt verliert die Hypothese, wie eine verzeichnete, verkehrte Analysis, jegliche Bedeutung, und es wäre ganz eitel, wenn sich Phantasie, Herz und Sinn ihres ersten Urhebers auf die Annahme versteifen wollten, und wenn es diesem gelänge, Millionen Anhänger für eine verlorene Sache zu gewinnen durch Mittel, die Sinn, Herz und Phantasie zu fesseln geeignet sind. Allerdings würde dies nur bei solchen Geistern möglich sein, die in der Kraft des unbestechlichen Beobachtens und Denkens nicht das unfehlbare Mittel sehen, zur Erkenntnis der wissenschaftlichen Wahrheit vorzudringen (z. B. Hypothese der materialistisch-mechanistischen Entwicklung).

Mit der Hypothese, mit der noch nicht bis zum Ende durchgeführten, aber in sich möglichen, von bekannten Daten geforderten Analysis der Wirklichkeit auf weltlichem Gebiete läßt sich auf dem Gebiete der Religion der Glaube vergleichen und das Glauben.

Sachlich ist der Glaube (Symbolum) die umfassende Weltanalyse, gleichsam der Entwurf der Zeichnung, in welcher die Vorstellungen über die zureichenden Bedingungen des Alls und seiner Teile, die Vorstellungen über den Ursprung, die Erhaltung, den Endabschluß des Ganzen und des Einzelnen in logisch lückenloser Ordnung zusammengereiht sind. Die einzelnen Glaubenssätze (Dogmata) sind Angaben darüber, wieweit das Denken der Gläubigen (einer Kirche) in der Weltanalyse — deren Grundriß überall auf eine Offenbarung durch den Geist Gottes zurückgeführt wird — vorangeschritten ist. Von den leeren Stellen in der Zeichnung markieren die einen die vorerst ungelösten, die andern die für ein endliches Denken unlösbaren Fragen (Mysterien).

Da-s Glauben in formaler Hinsicht, der Akt des Gläubigen ist das willige, freudige, beseligende Hinnehmen der Gesamtzeichnung für die Weltanalysis, in dem Vertrauen, daß es mit dem Entwurfe, weil er aus der ewigen Wahrheit selber stammt, in allem und jedem, auch in den Punkten, wohin keines Sterblichen Aug und Vernunft je noch gesehen, seine unerschütterliche Richtigkeit haben wird[1].

Welches unter den vielen Glaubensbildern (Bekenntnissen), deren jedes auf einer bestimmten religiösen Weltanschauung beruht, das sachlich und geschichtlich begründete, welches Glauben also der Vollzug der zutreffenden Weltanalyse ist, das muß hier unerörtert bleiben. Eines aber ist eine selbstverständliche Sache.

Zur ersten Fassung und zur Wiederauffassung eines Glaubensbildes ist die Phantasie des Gläubigen unentbehrlich. Sie hat die religiösen Vorstellungen, deren Stoff der Phantasie durch die Glaubensautorität gegeben wird, zu formen und die im Unterrichte vorgelegten nachzuformen; sie hat die gewonnenen Anschauungen und Überzeugungen dem Gedächtnis der frommen Seele einzuprägen, diese hier aufzubewahren und sie aus den Schatzkammern der Erinnerung nach Bedarf und nach Belieben hervorzuholen. Daß aber die Einbildungskraft den Inhalt und die Gegenstände des religiösen Vorstellens soll erzeugen, die religiösen Ideale soll erschaffen können, eine derartige Annahme steht auf einer Linie mit der Behauptung: Die geometrische Analysis — gemeint ist die zielsichere, nicht eine imaginäre Konstruktion — vermöge

---

[1] Über den Glauben und über das Glauben gelten die autoritativen Sätze im Hebräerbrief Kap. 11.

a) Glaubensinhalt und Glaubensgegenstand: πίστις ἐλπιζομένων ὑπόστασις, πραγμάτων ἔλεγχος οὐ βλεπομένων· πίστει νοοῦμεν κατηρτίσθαι τοὺς αἰῶνας ῥήματι θεοῦ, εἰς τὸ μὴ ἐκ φαινομένων τὸ βλεπόμενον γεγονέναι (V. 1 u. 3).

b) Glaubensgrund: ἐν ταύτῃ γὰρ ἐμαρτυρήθησαν οἱ πρεσβύτεροι, μαρτυροῦντος τοῦ θεοῦ (V. 2 u. 4).

c) Glaubenstrost und Glaubenslohn: δι' ἧς ἐμαρτυρήθη εἶναι δίκαιος, καὶ δι' αὐτῆς ἀποθανὼν ἔτι λαλεῖ (V. 4 7—12 u. 32 ff).

d) Glaubenspflicht: χωρὶς δὲ πίστεως ἀδύνατον εὐαρεστῆσαι· πιστεῦσαι γὰρ δεῖ τὸν προσερχόμενον θεῷ, ὅτι ἔστιν καὶ τοῖς ἐκζητοῦσιν αὐτὸν μισταποδότης γίνεται.

e) Glaubenstat (-Kraft, -Mut, -Freudigkeit): Abraham (πίστει καλούμενος ὑπήκουσεν ... ἐξεδέχετο τὴν τοὺς θεμελίους ἔχουσαν πόλιν, Sara (πίστει δύναμιν ἔλαβεν καὶ παρὰ καιρὸν ἡλικίας. ἐπεὶ πιστὸν ἡγήσατο τὸν ἐπαγγειλάμενον), Isaak, Jakob, Joseph, Moses (Zusammenfassung V. 32—38: Heldentum des Glaubens).

f) Wesen des Glaubens: κατὰ πίστιν ἀπέθανον, μὴ κομισάμενοι τὰς ἐπαγγελίας, ἀλλὰ πόρρωθεν αὐτὰς ἰδόντες καὶ ἀσπασάμενοι ... Μωϋσῆς τὸν ἀόρατον ὡς ὁρῶν ἐκαρτέρησεν ... καὶ οὗτοι πάντες μαρτυρηθέντες διὰ τῆς πίστεως οὐκ ἐκομίσαντο τὴν ἐπαγγελίαν (V. 13 27 39 u. 1—3).

die geometrischen Wahrheiten hervorzubringen; sie vermöge aus geometrischen Wahrheiten stereometrische Körper zusammenzusetzen; sie vermöge die Dingwelt durch eine schematische Linienwelt zu ersetzen oder durch deren beigefügten Zauber zu ergänzen, im Zustande der idealen Vollendung dem beglückten Gemüte vorzuführen. Das alles ist schon um dessentwillen Traum und Wahn, weil die Phantasie des Menschen überhaupt, die dichterische und künstlerische Phantasie insbesondere, die religiöse Phantasie erst recht — keine Kraft ist, die rein und frei schaffen, die aus dem Nichts etwas machen könnte. Solch eine Kraft und Leistungsfähigkeit gibt es im Gesamtumfang des Menschlichen nirgends und hat es niemals gegeben, auch nicht in den Anfängen der Menschheit, in den Zeiten, da die seelischen Anlagen der Sterblichen unvergleichlich reicher und unvergleichlich machtvoller gewesen sein sollen, als sie in der Spätzeit sind[1].

Weil Friedrich Albert Lange aus der Phantasie des Menschen ein Phantasieding macht, das nach den Voraussetzungen und Ergebnissen der empirischen Seelenkunde wie nach den logisch-mathematischen Gesetzen des Denkens etwas Imaginäres, nicht ein real Mögliches ist, darum krankt die Hypothese des Mannes, der die religiöse Vorstellung als ‚Produkt der frei dichtenden Synthesis‘ in der Menschenseele begriffen haben will, an einem unheilbaren Denkfehler. Der Paralogismus besteht in der Verwechslung des Möglichen, des Denkbaren, was die Vorstellung von Gott als dem Urgrund und Endziel der Dinge zunächst ist, mit dem Imaginären, mit einem aus dem Nichts entsprungenen Ideal eines subjektlosen Prädikates, dem Ideal der Göttlichkeit. Dann wird das Ideal, eine undarstellbare Wunschgestalt, so genommen, wie wenn es wirklich wäre, wird es als Trostspender für den in der harten Wirklichkeit beengten, aus ihr heraus- und über sie hinausverlangenden Menschengeist ‚frei gedichtet‘. Endlich wird eine eingebildete Notwendigkeit, die vorgestellte

---

[1] Die besonnene Erklärung bei Thomas (S. th. 1, q. 78, a. 4): „Est phantasia sive imaginatio thesaurus quidam formarum per sensum acceptarum“; denn „deficiente aliquo sensu deficit scientia eorum, quae apprehenduntur secundum illum sensum, sicut caecus natus nullam potest habere notitiam [nullum phantasma] de coloribus“ (ebd. q. 84 a. 3) — wird trotz ihrer Unvollständigkeit auch nicht durch den Hinweis auf die Phantasiebegabung des Genies entkräftet, von dem es heißt: Es ist die Fähigkeit eines Gottbegnadigten, bei allem, was er tut, sagt, fühlt und denkt, aus sich selbst herauszutreten, die Grenzen seiner beschränkten Persönlichkeit zu überspringen, in andern, in der Natur, in der Gesamtheit aufzugehen — nicht eine neue Gesamtheit aus sich allein herauszusetzen.

Unentbehrlichkeit der Tröstung durch das Ideal, mit dem wirklich Notwendigen gleichgesetzt, mit dem Wesen Gottes selber, der unbedingt
sein und der unbedingt sein muß (causa), wenn und weil Bedingtes
ist; mit dem Wesen Gottes, der der Urquell unerschöpflicher, unvergäng-
licher Seligkeit sein muß (finis), wenn und weil das Menschenherz von
ihm geschaffen ist für ein unendliches Glück.

Was wir andeuten, sind Augustins Gedanken.

„Fecisti nos ad te, et inquietum est cor nostrum, donec requiescat
in te. Animam meam praeparas ad capiendum te ex desiderio, quod
inspiras ei. Ex plenitudine quippe bonitatis tuae creatura subsistit, ut
bonum, quod tibi nihil prodesset nec de te aequale tibi esset, tamen,
quia ex te fieri potuit, non deesset."[1]

III. Wilhelm Wundt.

Nach Ludwig Feuerbach entstehen die religiösen Vorstellungen infolge von Erkrankungen im Menschengeschlechte, welche die Phantasie
anstecken. Nach Albert Lange wird die Religion durch die gesunde
Phantasie geschaffen, kraft des natürlichen Bautriebes im Menschengeiste,
der zur Erdichtung wie der spekulativen, ethischen, ästhetischen Ideen
so der religiösen Ideale drängt. Für den Materialisten ist die Religion
etwas Abnormes, Schädliches, Verwerfliches; nach dem Idealisten der
neukantischen Richtung ist die Religion zwar nichts Objektives, Konstitu-
tives, aber ein Normatives, Regulatives. Beiden zufolge weist der religiöse
Gedanke nicht auf ein Seiendes hin, das, vom Denkenden wesenhaft unterschieden, substanziell für sich wäre, sondern alles Religiöse ist ein Etwas
an und in einem Etwas, eine Erscheinung, die besagt und bedeutet: dort
eine naturwidrige Beschaffenheit, welche durch das unselige Zusammen-
treffen unseliger Umstände bewirkt wird, den Menschen herabdrückt und
entwürdigt; hier eine naturgemäße Bestimmtheit, welche in dem transszendenten Keim seines Wesens angelegt ist, den Menschen über sich
selbst erhebt und beseligt.

Mag man die Religion aus einer krankhaften Richtung der Einbildungskraft, die von der Selbstsucht des Eigenwillens vergiftet ist, mag

---

[1] **Augustinus**, Confess. 1, 1; 13, 1 u. 2. Das Thema der augustinischen Philosophie und Theologie ist in der Lieblingsantithese genannt: „Et priusquam essem, tu
eras, nec eram, cui praestares, ut essem; et tamen ecce sum ex bonitate tua praeveniente
totum hoc, quod me fecisti et unde me fecisti ... Fecisti, ut serviam tibi et colam te,
ut de te mihi bene sit, a quo mihi est, ut sim, cui bene sit" (ebd. 13, 1).

man die Religion aus dem gesunden Zug zu dem Idealen erklären, der die Phantasie zu den Schöpfungen des Herrlichsten befähigt; oder mag man behaupten, daß der religiöse Mensch, wie in der Neuzeit dem Genie nachgesagt wird[1], von beiden, vom Kranken und vom Außer-

---

[1] Bekannt ist der Schluß von C. Lombrosos ‚Genie und Irrsinn‘, woselbst es unter anderem heißt (Reclam 338 ff): „Zwischen der Physiologie des Mannes von Genie und der Pathologie des Geisteskranken gibt es nicht wenige Berührungspunkte: es gibt Verrückte mit Genie und Genies, die verrückt sind. Aber es gibt und gab sehr viele Genies, die, von etlichen Sonderbarkeiten des Empfindungsvermögens abgesehen, niemals an Irrsinn litten. Vielmehr hatten fast alle irrsinnigen Genies ganz eigentümliche Merkmale." (Lombroso nennt von den gesunden Genies: Spinoza, Bakon, Galilei, Dante, Voltaire, Columbus, Macchiavelli, Michelangelo, Kepler, Leibniz, Cavour; Beispiele von kranken Genies sind: Tasso, Swift, Lenau, Donizetti, Schumann, Haller, Comte, Byron, Rousseau, Cäsar, Napoleon.) Für die Juristen ist nach Lombroso zu beachten, daß die Geisteskrankheit nicht nur zur Genialität, sondern auch zum Verbrechertypus Beziehungen hat. Mancher Wahnsinnige, wie mancher Unmoralische, liefert Beweise nicht bloß von vollendeter Verstandesschärfe, sondern oft auch von einer höchstgesteigerten Energie; dadurch kann die Menge versucht werden, den Unglücklichen zuerst mit Staunen, dann mit Bewunderung und Verehrung zu betrachten. Hierbei mag die Verwechslung eintreten, daß Wahnsinnige und Narren ohne jedes Genie, durch bloße Verrücktheit die Menge schon fortgerissen und bisweilen sogar große politische Umwälzungen erregt haben (Passanante, Lazzaretti, Drobicius, Fourier, Fox). Der Theologe und Kulturhistoriker hätte nach Lombroso zu bedenken, „wie diejenigen, die zugleich Genies und Wahnsinnige waren (Mohammed, Luther, Savonarola, Schopenhauer), durch halbe Wahrheiten die Völker um ganze Jahrhunderte vorangebracht haben, indem sie Hindernisse, die einem kalten Berechner Furcht eingejagt hätten, verachteten und überstiegen". „Fast alle Religionen, jedenfalls sämtliche die alte und neue Welt bewegenden Sekten, haben von wahnsinnigen Genies ihren Ursprung genommen" (S. 344).

Ein seltsames Zeichen der Zeit, nach deren ‚Geist‘ Wahnsinn und Genie in demselben Spitale krank sind, ist die Vorliebe, Christus den Gottessohn unter den pathologischen, psychiatrischen Gesichtswinkel zu stellen. Vgl. Dr de Loosden [Dr G. Lomer, Oberarzt an der Provinzialirrenanstalt in Neustadt, Holstein]: Jesus Christus vom Standpunkte des Psychiaters. Eine Studie für Fachleute und gebildete Laien (1906); E. Rasmussen [Kandidat der protestant. Theologie]: Jesus (1905); Holtzmann: War Jesus Ekstatiker? (1903).

Für sehr weite ‚vorurteilslose‘ Kreise war der Heiland sicher ein ‚Genie‘, d. h. mit „einer neuropathischen Affektion des Gehirns" behaftet. Im übrigen ist einer gewissen freigeistigen und schöngeistigen Theologie beispielsweise Jeremias Epileptiker und Geisteskranker; Ezechiel leidet an Halluzinationen; die Propheten überhaupt werden meist schon zu ihren Lebzeiten für Narren gehalten (4 Kg 9, 11). „Daß Paulus trotz seiner Größe ein epileptischer Geisteskranker war, ist längst von Irrenärzten bekundet (!) und geht mit unwiderlegbarer Klarheit aus seinen eigenen Briefen hervor" (z. B. 1 Kor 4, 16: krankhaftes Selbstgefühl).

Zu dem letzteren Kapitel hat Verfasser dieser Zeilen in einer Besprechung von Gustav Frenssens ‚Hilligenlei‘ nachstehendes bemerkt.

„Bekanntlich wissen Epileptiker von dem, was ihnen zustößt, nichts. Nach und nach ändert sich der ganze körperliche und geistige Habitus der Kranken. Die Urteilskraft, das Gedächtnis, die Einbildungskraft nehmen ab auch in der anfallsfreien Zeit. Tierische Triebe drängen sich vor und stacheln die Ärmsten nicht selten zu gewaltsamen, verbrecherischen Handlungen. Die Kranken ziehen sich scheu vor den Menschen zurück, werden launenhaft

gewöhnlichen, von der Narrheit und von der überragenden Begabung in sich vereinigt: unter allen Umständen müßte, wenn die religiöse Vorstellung allein aus der so oder anders gearteten Phantasietätigkeit der Seele entstünde, die Phantasie selber nach ihrem Wesen und in ihren Gesetzen von der Religionspsychologie untersucht werden. Es müßte, soll das Rätsel mit der Religion auflösbar sein, zuvor die religionbildende Kraft des Menschengeistes begriffen sein.

Wilhelm Wundt hat diese Aufgabe erkannt. In der Tat, die bloß ästhetischen und ästhetisierenden Redensarten, die wie bewegter Wasserschaum anmuten, können nicht Antworten sein auf wissenschaftliche Fragen. Oder

und mürrisch, quälen ihre Umgebung und geraten oft bei den geringfügigsten Anlässen in maßlosen Zorn, der sich bis zu Tobsuchtsanfällen steigern kann. Hochgradiger Schwachsinn (epileptische Demenz) kann das Endglied in der Kette der geistigen Veränderungen bilden. — Über diese Tatsache kann sich, wer nicht Gelegenheit hat, einen Unglücklichen (vom morbus sacer Befallenen) zu beobachten, in einem zuverlässigen Konversationslexikon unterrichten. Wie will nun Frenssens ,deutsche Forschung' beweisen, daß der ,Epileptiker Paulus' durch seine ,Anfälle' zu Leistungen befähigt worden sei, die gerade gegenteilig sich verhalten zu dem, was die Erfahrung und die echte Wissenschaft über die Erscheinungen der furchtbaren Krankheit festgestellt hat? War Paulus durch ein Wunder ,epileptisch' im Widerspruch mit den ,Gesetzen' der Epilepsie, die, unter förmlicher, keineswegs bloß angeblicher ,Durchbrechung der Naturgesetze', den kranken Paulus nicht nur nicht herunterbrachte, sondern mit ihren wiederholten Anfällen sogar hob und kräftigte? Und hat die ,deutsche theologische Forschung' dies durch ein wunderbares Schauen in die Vergangenheit ermittelt? Wir haben hier einen Fall aus vielen, aus zahllosen, der da warnt, daß die ,deutsche Forschung' auf theologischem Boden sich in Betreff der Beziehungen, die mit ,Wissenschaft' zusammenhängen, doch recht ängstlich in acht nehmen sollte. Und diese ,Wissenschaft', die völlige Absurditäten — den Wahn z. B., daß der Christenglaube auf den Wahngebilden eines Epileptikers beruhen und zweitausend Jahre weltüberwindend dauern könne — sowohl verkauft als einkauft, will den Glauben an die Wunder der heiligen Schriften, an die Geheimnisse des apostolischen Symbolums unerträglich finden und lächerlich machen! Die letzte Parenthese, das letzte Anakoluth bei Paulus ist unendlich viel wertvoller als die Gesamtliteratur dieser ,deutschen Forschung'."

Über ein arges Mißgeschick, das Lombrosos ,Wissenschaft' zugestoßen, berichten die Tagesblätter (z. B. Köln. Volkszeitung Nr 671 vom 5. Aug. 1907). Der Turiner Gelehrte hatte aus den Photographien der beiden ,monströsen' Hände des Kindermörders Solleiland, der in Paris zum Tode verurteilt wurde, mit aller Genauigkeit dargetan, daß der ,faunische Mörder' mit den Merkmalen — sie fänden sich auch in den Handlinien bei Menschenaffen — ,der Epilepsie, der Idiotie, des Verbrechertums', behaftet, also zweifellos unzurechnungsfähig, weil eben ,geborener Verbrecher' sei. Nun waren aber, wie sich unanfechtbar feststellen ließ, die von Lombroso untersuchten Hände gar nicht die des Mörders; die Bilder waren Photographien von den Händen zweier höchst ehrenwerter Arbeiter, die mit den Gerichten niemals zu tun hatten. Lombrosos ,Anthropometrie' hatte nicht einmal so viel gesehen, daß ihm Bilder von der rechten und von der linken Hand verschiedener Personen vorlagen. Wird nun Lombroso jetzt wohl unanfechtbar dartun, daß die Hände, die er irrigerweise für die des Verbrechers Solleiland gehalten, immerhin Verbrecherhände seien, daß man also die beiden unbescholtenen Besitzer der inkriminierten Hände von nun an ,wissenschaftlich' als Verbrecher zu betrachten habe?

wer will sich zufrieden geben, wenn er von dem Manne, den sie den bedeutendsten deutschen Ästhetiker des abgelaufenen Jahrhunderts nennen, den ‚tiefsinnigen‘ Ausruf vernimmt: „Und in der Religion, welch ungeheure Bedeutung hat hier die Phantasie, das Organ des Schönen! Im Gegensatze zu der Religion will die Phantasie zwar das Sinnliche im Menschen nicht aufheben oder vernachlässigen, sondern verklären und fortbilden; doch ohne sie entstehen weder Religionen noch werden sie verstanden"? Sind derartige Redensarten nicht doch bloß Worte, hinter denen, wer tiefer denkt und frägt — nichts findet? Was soll es heißen, wenn mir auf die Frage: Wie entsteht die religiöse Vorstellung? die Versicherung gegeben wird: Die Phantasie hat hier eine ‚ungeheure Bedeutung‘?

Zu der Gelehrsamkeit der Phrase [1] bildet die ‚experimentelle Psychologie‘ einen wohltuenden Gegensatz. Wilhelm Wundt, einer ihrer Hauptvertreter, wird der Reihe der Physiologen zugezählt, die, wie Johannes

---

[1] Vgl. Fr. Th. Vischer, Das Schöne und die Kunst² (1907: nachgelassene und nachgeschriebene Vorträge), S. 5. Vischer verrät in diesen Vorträgen (vgl. dessen Reiseroman ‚Auch Einer‘: Prorektoratsrede S. 8) eine geradezu verblüffende Unkenntnis in Sachen des positiven, namentlich des katholischen Christentums, dafür aber eine Verwegenheit des Behauptens, die für einen Mann der Wissenschaft einfach eine verbotene, eine unmoralische Sache ist. Dabei lautet einer der Vischerschen Kraftsprüche: „Das Moralische versteht sich immer von selbst!" Vischers Philosophie ist ein aus Hegels Redensarten abgezogener fader Monismus. Vgl. a. a. O. insbesondere S. 152 bis 173, wo der Versuch gemacht ist, „das ganze Feld des geistigen Schaffens in drei Gebiete zu teilen", wo neben das ‚theoretische und praktische‘ Gebiet ein ‚ideales‘ gestellt wird, „das Gebiet der Religion, der Kunst und der Philosophie". Albert Lange hat ähnlich eingeteilt. Vischer macht den banalen Fehlschluß, dem wir freilich auch bei Wundt wieder begegnen. Beide nehmen ‚Personifizieren‘ als ‚Vergöttern‘ und ‚Vergöttlichen‘, ohne zu fragen, wie die Phantasie dazu kommt, dem ‚Personifizierten‘ das Prädikat des ‚Göttlichen‘ beizulegen, nicht etwa bloß des ‚Übermenschlichen‘, das immer nur ein Superlativ des ‚Menschlichen‘ sein kann. „Solange positive Religion besteht", heißt es ebd. 155, „haben die Völker die Naturkräfte personifiziert und den daraus geschaffenen Göttern [— wie geschaffen? ist die Frage —] noch andere Eigenschaften beigelegt, wodurch die Idee ihrer Herrschaft auf die sittlichen und politischen Gebiete ausgedehnt wurde." Das heißt doch die ‚Wie‘-Frage mit einem billigen ‚Daß‘ abtun (vgl. auch S. 166 f). — Welch ‚tiefes‘ Studium Vischer der katholischen Religion gewidmet hat, beweist unter vielen andern Abgeschmacktheiten der Satz, der nicht ein boshafter Witz, sondern eine ernsthafte Versicherung sein will: „Es ist ein Gewinn für dieses Bild — die Madonna Sixtina —, daß es von seiner ursprünglichen Stelle, einer Klosterkirche in Piacenza, weggekommen ist. Dort würde es wie ehedem als Götzenbild angebetet. An seiner Statt befindet sich jetzt dort eine sehr mittelmäßige Kopie, und sie dient ihrem Zweck vielleicht besser" (a. a. O. 159). Und solcherlei Zeug wird gesprochen, gedruckt und geglaubt — allerdings von ‚Gelehrten‘ und deren Hörigen, die, wie Vischer eine Seite vorher bemerkt, über die Bilderstürme des 16. Jahrhunderts ‚vorurteilslos‘ urteilen, wenn sie sagen, daß immerhin „ein Körnchen Wahrheit" dabei gewesen sei. Denn „heute ist es in der ganzen katholischen Welt so, daß die Kirchenbilder im Sinne des Götzendienstes verehrt werden".(!!)

Müller und Hermann Helmholtz, auf dem Grunde von einwandfreien naturwissenschaftlichen Beobachtungen und Versuchen der Forderung Kants zu genügen bestrebt sind; die mit Hilfe von empirischen Induktionen die Kritik unserer Erkenntnismittel, nach Kant die eigentliche Obliegenheit der Philosophie, zu liefern beschäftigt sind.

Wenn nun wirklich die Phantasie die religiösen Vorstellungen hervorbringt, dann weiß ich wohl, wie die Einbildungskraft die Religion erzeugt, falls ich nach der Methode der experimentellen Psychologie, im Gegensatze zu der vulgären und poetisch-konstruktiven Lehre von der Seele, darüber unterrichtet bin, in welch eigenartiger Weise die Phantasie arbeitet. Dieses hypothetische Urteil drückt formal eine höchste Wahrscheinlichkeit aus. Soll dem Satz eine sachliche Bedeutung zukommen, dann muß die von ihm genannte Vorbedingung erst bewiesen werden. Die Aufstellung dagegen: Ich weiß, wie die Phantasie des Menschen arbeitet; also weiß ich auch, wie sie die religiösen Anschauungen hervorruft — ist nichts weiter als eine Beweiserschleichung.

Wir werden sehen, daß Wilhelm Wundts Hypothese von der ‚mythenbildenden Apperzeption‘, wie die vorgebliche Tätigkeit der die Religion zeugenden Phantasie benannt wird, nichts weiter ist als eine petitio principii.

Ohne Einschränkung ist die Forderung anzuerkennen, daß das philosophische Wissen von den Induktionen der Erfahrung auszugehen hat. Doch ist der Gedanke nicht neu; scharf gefaßt bildet er eine der Grundforderungen in der Philosophie der Schule. Erinnert sei nur an das Axiom, daß unser Wissen mit dem Sinneseindruck anhebt, daß dem natürlichen Menschen die Gewinnung eines höheren Wissens, welches ohne Anknüpfung an die sinnliche, die erfahrungsmäßige Erkenntnis zustande käme, versagt ist[1].

---

[1] Mit dem Axiom: Nihil est in intellectu, quod non prius fuerit in sensu (Leibnizens Zusatz ‚nisi intellectus ipse‘ bleibt unberührt) — hat es seine Richtigkeit, wenn der Satz in dem Sinne genommen wird: Omnis cognitio incipit a sensu. Vgl. Thomas S. th. 1, q. 12, a. 13: Cognitio, quam per naturalem rationem habemus, duo requirit: scilicet phantasmata ex sensibilibus accepta, et lumen naturale intelligibile, cuius virtute intelligibiles conceptiones ab iis abstrahimus. Von großer Anschaulichkeit ist die Ausführung S. th. 2, 2, q. 173, a. 2: Circa cognitionem humanae mentis duo oportet considerare: scilicet acceptionem sive repraesentationem rerum, et iudicium de rebus repraesentatis. Quando autem repraesentantur menti humanae res aliquae secundum aliquas species et secundum naturae ordinem, primo oportet, quod species repraesententur sensui, secundo imaginationi, tertio intellectui possibili, qui immutatur a speciebus phantasmatum secundum illustrationem intellectus agentis. In imaginatione autem

1. Ein Mythus.

Bei der eigentümlichen Schreibweise Wundts, der die Weitschichtig-keit und Breitspurigkeit liebt und die Darstellung mit Fremdwörtern überladet, hat es seine Schwierigkeit, die Meinungen des Verfassers knapp und übersichtlich wiederzugeben. Vielleicht gelingt es, im Anschluß an einen M y t h u s zu zeigen, was der Hauptvertreter der ‚physiologischen Psychologie‘ sagen will, wenn er erklärt, in der ‚mythologischen Phantasie‘ die Quelle der religiösen Gefühle und Vorstellungen gefunden zu haben.

Die mythologische Phantasie, schreibt Wundt[1], ist nicht eine spezifische, „dereinst einmal" dagewesene, dann unwiederbringlich ent-schwundene seelische Kraft, sondern sie ist in ihrem Wesen identisch mit der Phantasie selbst. Man darf in der mythologischen Phantasie die Anfangsform der menschlichen Phantasietätigkeit sehen, und diese wieder

---

non solum sunt formae rerum sensibilium, secundum quod accipiuntur a sensu, sed transmutantur diversimode, vel propter aliquam transmutationem corporalem (sicut accidit in dormientibus et furiosis), vel etiam secundum imperium rationis disponuntur phantas-mata in ordine ad id quod est intelligendum. Sicut enim ex diversa ordinatione earun-dum litterarum accipiuntur diversi intellectus, ita etiam secundum diversam dispositionem phantasmatum resultant in intellectu diversae species intelligibiles. Iudicium autem hu-manae mentis fit secundum vim intellectualis luminis.

Die scholastische Philosophie, vor allem die Erkenntnislehre ist, wie für sehr viele der Neueren, so auch für Wilhelm Wundt nicht bloß ein unbebautes, sondern ein un-bekanntes Land. Das beweist der ü b e r a u s d ü r f t i g e Paragraph „Philosophie der Scholastik" in Wundts ‚Einleitung in die Philosophie‘. Verziert ist der Eingang des Paragraphen (1. Aufl. 1901) mit dem Satze: Tertullian habe dereinst zu Ende des 2. Jahr-hunderts die Tendenz der kirchlichen Philosophie prägnant ausgedrückt. „‚Credo quia absurdum est‘ hatte das Bekenntnis des alten Kirchenlehrers [!!] gelautet." Später wird die Entdeckung bekannt gegeben, Anselm von Canterbury, „der Erfinder der ontologischen Methode", habe „mittels ihrer" außer dem Dasein Gottes „auch die spezifisch christ-lichen Glaubensdogmen", wie das der Trinität, der Erlösung, zu ‚demonstrieren‘ gesucht.

[1] Vgl. Völkerpsychologie, eine Untersuchung der Entwicklungsgesetze von Sprache, Mythus und Sitte (1905) II 1, 3 f 579. Außer dem genannten Werke Wundts (geb. 16. August 1832) kommen von den vielen Arbeiten für unsern Gegenstand namentlich in Betracht: Einleitung in die Philosophie (erstm. 1901); Grundriß der Psychologie (1896); Grundzüge der physiologischen Psychologie (1873); System der Philosophie (1889); Ethik, eine Untersuchung der Tatsachen und Gesetze des sittlichen Lebens (1886). „Nach Wundt muß sich die Philosophie bemühen, Wissenschaftslehre in der wahren Bedeutung des Wortes zu sein, und zwar so, daß sie die Methoden und Ergebnisse der Einzelwissen-schaften als den eigentlichen Gegenstand ihrer Forschungen betrachtet. Ihr wahres Ziel ist, eine Weltanschauung zu gewinnen, welche dem Bedürfnis des menschlichen Geistes nach der Unterordnung des Einzelnen unter umfassende theoretische und ethische Gesichtspunkte Genüge leistet. Die Einzelforschung kommt immer nur zu einseitigen Gesichtspunkten, und daher kann keine andere Wissenschaft als die Philosophie dem Bedürf-nisse des Geistes, das auf das Allgemeine geht, gerecht werden" (nach Überweg-Heinze).

ist ein formaler Ausdruck für das seelische Können überhaupt. Will man die Phantasie für sich herausheben, dann hat man in ihr die Funktion des Geistes zu erblicken, vermöge welcher sich dem Gemüte z. B. die Furcht in das Furchtbare, die Ehrfurcht in das Ehrfurchtgebietende, die Empfindung eines schlechthin Wertvollen in das Göttliche umsetzt.

Die Phantasie, kann auch gesagt werden, ist von unsern Funktionen diejenige, durch welche ein Zustand des Subjektes in ein Objekt ‚hinüberwandert‘, durch die der Mensch sich in ein Vorgestelltes ‚einfühlt‘. Religiös sind dann die Vorstellungen und Gefühle, die sich auf ein ideelles, den Wünschen und Forderungen des menschlichen Gemütes vollkommen entsprechendes Dasein beziehen, also die sittlich-ästhetischen Ideale, und zwar insofern, als diese von der Phantasie in sinnlich konkreter Verkörperung dem Menschen wie eine objektive Welt, die mit ihm in dauernder Berührung ist, gegenübergehalten werden [1].

Wie geht es nun bei der Verkörperung der Ideale zu, bei der Objektivierung der über unsere Erfahrung hinausgreifenden Gedanken, auf welche die ‚Vernunftreligion‘ führt — die einzige Religion, die es gibt? Das mag uns ein Mythus, der einer russischen Auferstehungssage nachgebildet ist, nahebringen. Er will deutlich werden lassen, daß und wie das religiöse Ideal, das uns Vorbild des eigenen sittlichen Strebens sein soll, vom Menschen nur in der Gestalt einer vollendeten sittlichen Persönlichkeit, welche die Phantasie schauend schafft und schaffend schaut, nach den Vertretern einer neuen ‚Mythenhypothese‘ versinnlicht werden kann.

— — — — — — — — — — — — — — — — — — —

. . . . Als die Erde noch eine Wildnis und die Wildnis ein Garten war, lebte ein seltsames Mädchen. Das Kind meinte, es selber und seine Umgebung seien immer dagewesen; nie fiel ihm ein, zu denken, es könnte einmal anders werden. Mit den Menschen, die es sah, konnte das Mädchen sprechen, und es sprach in gleicher Weise mit den Tieren und Pflanzen, mit den rauschenden Wassern, den blasenden Winden, den wandernden Wolken, mit der leuchtenden Sonne, mit der Morgen- und Abendröte,

---

[1] Vgl. hierzu den Satz, durch den John Stuart Mills (1806—1873) Stellung zur Religion (nach Überweg-Heinze) charakterisiert wird: „Die Religion befriedigt, wie die Dichtung, das Bedürfnis idealer Vorstellungen. Kunst und Religion beruhen beide auf der Phantasie. Aber die Religion setzt im Unterschiede von der Dichtung ihre Gebilde als wirklich in einer andern Welt. Zu erkennen ist von dem Übersinnlichen nichts, wie sich die ganze Erkenntnis überhaupt nur auf die Phänomene erstreckt." Siehe oben Albert Lange.

mit den glitzernden Sternen. Sich selber nannte die Kleine Evchen, Eva, wie sie von jedermann gerufen wurde.

Die Stimme und die Bewegungen der Dinge sagten Evchen alles, was sie wissen wollte. Wenn etwas regungslos dalag wie ein Klotz, so wußte Eva doch, daß in dem starren Felsen, in dem stillen Wasser des unermeßlich großen Teiches das Ding nur schlief, das sonst überall lebendig war und redete für das Ohr und für das Auge des Menschen.

Einen Unterschied machte das Kind in seiner Umgebung. Was sich in der Ferne bewegte, was unsichtbar einen Laut von sich gab, davor fürchtete sich Eva; das Nahe, Sichtbare, Greifbare war ihr lieb. Das Unbekannte kam dem Kinde befremdend vor; mit dem Bekannten tat es vertraut und freundlich.

Einen älteren Mann hatte Eva besonders gern. Er war immer um sie, und sie dachte nicht anders, als daß der Mann alles verstehe und für alles sorge. Die beiden saßen am liebsten auf einem Steine zusammen, der unter einem blühenden Rosenbusche lag.

Viele, viele Tage ging das Leben gleichmäßig fort. Da stand der Mann einmal, als es Abend wurde, von dem Steine nicht mehr auf. Er schlief sehr fest. Eva suchte ihr Bettchen allein in der Hütte; schon oft war der Vater im Freien eingeschlummert. Als es des andern Morgens hell geworden, wunderte sich Evchen; niemand hatte sie geweckt, und wie sie zu dem Rosengebüsch kam, schlief der Vater noch immer auf der Steinbank, und umgesunken, mit dem Gesicht nach oben, war er auch. Eva nahm seine Hand; sie war ganz kalt. Das Auge des Vaters war zwar offen, aber es blickte so sonderbar, daß das Kind begann sich zu fürchten. Das Aussehen des alten Mannes war unheimlich: er war tot, und Evchen wußte noch nicht, was Totsein ist.

Tag um Tag verstrich. Eva getraute sich nicht mehr recht in die Nähe des toten Vaters. Es kam ihr vor, er werde stets kleiner und kleiner, und zuletzt war er nicht mehr da.

Sonst konnte das Mädchen sich gut helfen: es war alles wie früher im Garten, was Eva brauchte, und es war, wie wenn der Vater, obwohl ihn Evchen nicht mehr sah, die Dinge gerichtet hätte. Doch wurde das Kind nachdenklich und traurig; ein großes Verlangen nach dem Entschwundenen trieb es Tag und Nacht. Da geschah es nicht selten, daß der Vater in der Nacht vor Eva stand. Sie sah sein Gesicht deutlich; sie vernahm seine ruhige Stimme; sie behielt alle Worte, die er zu seinem Kinde sprach. War Eva mit banger Sehnsucht eingeschlafen, am Morgen erwachte sie immer glücklich und froh; denn sie war gewiß, daß der Vater um sie tätig war.

So oft sie konnte, ging Eva zu dem Rosengebüsch, das den Steinsitz gegen die Sonnenglut schützte. Hier plauderte das Kind, wie wenn es den Vater vor sich hätte. Bald glaubte Evchen, sie höre den Vater reden, wenn es sich im Rosenlaub regte. Das tat so, wie wenn der Mann seinem Mädchen vor dem Einschlummern früher etwas ins Ohr geflüstert hatte. Konnte Eva nicht jedes der Worte verstehen, alle waren doch lieb und sanft.

Eines schönen Tages fand Eva an des Vaters Lieblingsplätzchen, das ihr teuer und heilig war, eine graue Raupe. Sie lag auf dem Stein so still, wie der tote Vater gelegen hatte. Das Tierchen wurde von dem Kind auf grüne Blättchen gebettet. Nach drei Tagen war die Raupe verschwunden, und eine Puppe lag da; diese schlummerte, wie der Vater getan. Eva hütete das merkwürdige Ding mit Sorgfalt. Und doch war die Puppe nach einiger Zeit auch verschwunden.

Als Eva bekümmert nach der verlorenen Puppe suchte, flog mit einem Male ein schöner Schmetterling aus dem Laube. Das Kind freute sich an den prächtigen Farben der Flügel, und es wunderte sich nicht wenig, als der Schmetterling zu reden anfing und erzählte, wie er aus der toten Raupe geworden sei. Das kluge Mädchen verstand nun, daß auch sein Vater leben müsse; denn so oft schon in der Nacht hatte es den Vater in einem leuchtenden Schatten hin- und herschweben sehen.

Für Eva war alles klar. Der Vater befand sich dort, von wo die Sonne strahlt wie ein Auge. Der Vater war, wie aus der Raupe der Schmetterling wird, ein Geist geworden, und daheim war er, wo die Götter wohnen. Eva erinnerte sich lebhaft an das, was ihr der Vater von den Göttern, den Geistern und den Seelen erzählt hatte. Konnte man sie zwar nicht jeden Augenblick und an jedem Orte sehen, man erblickte doch oft genug in den Wolkenbildern die Gestalten der Götter. Man hörte sie in der Windsbraut dahinjagen, und besonders hörte man mit Furcht und Angst, wenn sie mit gewaltiger Stimme aus dem Sturm und Donner sprachen. Lieblich aber war es, wenn ein Stern, ein lichter Engel, in einem Blitzstreifen vom Himmel herabflog. Und wieder mußte man traurig werden, wenn der Sternengel, von einem schwarzen Ungetüm verfolgt, in den Wellen des Flusses, des Teiches, des großen Meeres oder im fernen Wald sich versteckte. Das konnte man von einer Anhöhe des Gartens aus mit ansehen.

Scheue Ehrfurcht, heilige Andacht empfand Eva, wie sie nachsinnen gelernt hatte, wenn ihr Auge lang in das Himmelblau hinaufblickte. Da kam der Sonnenwagen des schönsten Gottes am Morgen aus dem Tore von Purpurwolken heraus, und abends suchten die goldenen Rosse drunten in dem unendlich weiten Wasser Kühlung und Labung. Dann fiel der Tau nieder und tränkte die Bäume, die Gräser, die Blumen und die weidenden Rehe, und bald war alles in tiefe Anbetung versunken. . . .

Eva war längst groß. Einem der jungen Männer war die Jungfrau gut, mehr als sie sagen konnte. Sie wurde seine Frau. Nach einem Jahre lag ein Kindchen in ihrem Schoße.

Eines war ganz merkwürdig! Jedesmal, wenn sich etwas Besonderes zutrug, namentlich wenn Eva glücklich war, daß sie meinte, sie könne nicht mehr glücklicher werden — so war es, als sie Braut gewesen, und als sie das kleine Knäbchen in den Armen hielt — jedesmal kam da der Schmetterling wieder. Er hatte dem Mädchen gesagt, daß sein Vater nicht tot sei. Durch seine Verwandlung aus der Raupenpuppe hatte der schöne Falter gezeigt, daß der Hauch des Lebens, der in allem atmet, nicht verweht. Die Seele des Menschen, wie Evas Vater ihr im Traum versicherte, vergeht nicht, wenn auch der Leib in den Schlaf gefallen, aus dem er sich nicht mehr wecken läßt.

Das Kind der Frau Eva wurde nach etlichen Monden so still, wie sie den Vater vor Jahren auf dem Steine gefunden. In größtem Leid weinte die Mutter an der kleinen Leiche. Nun geschah ein Wunder. Auf der Brust des Söhnchens regte sich etwas. Es war die Raupe von früher. „Laß mich hier!" sagte das Würmchen. „Ich habe meine Flügel deinem Kinde geliehen. Es wollte dort sein, wo dein Vater ist, bei den seligen Göttern. Mir werden neue Flügel wachsen, und wenn sie stark genug sind, daß sie dich tragen, dann will ich mit dir, mit deiner Seele zu den Sternen fliegen. Ich bin der Engel der Erlösung und der Unsterblichkeit. So heißen mich die Menschen, wenn sie sehen, wie die Raupe stirbt und wie der Schmetterling aus der Puppe aufersteht. Sie sollten sagen: Das Leben verjüngt sich ewig im Kreislaufe des endlosen Wachsens und Welkens."

Frau Eva war alt und ernst geworden. Wieder und wieder saß sie sinnend, die Hände im Schoß, auf der Steinbank des Vaters und redete mit sich selber. Alles hier, Stein und Strauch und Getier, war der Einsamen heilig.

„... Der Frühling kommt und geht; Herbst und Winter weichen und erscheinen. Alles hat seine Zeit! Wer das Spätere verstehen lernt aus dem Früheren; wer da weiß, daß alles Sein ein Geschehen, ein Vergehen und ein Wiedererstehen ist, und wer einsieht, wie sich alles zuträgt: der ist der Weise. Wer die unsichtbare, ruhelos tätige Macht, die in allem waltet vom Aufgang bis zum Untergange, wer die Macht so sieht, ehrt und liebt, wie ich meinen Vater, als wär' er allgegenwärtig, vor meiner Seele habe: der ist der Gottesfürchtige, der ist fromm und gut. Und wer die Weisheit mit der Frömmigkeit zugleich besitzt, der fürchtet sich vor keiner Ferne, vor keinem Unbekannten, der plagt sich über keine Dunkelheit mehr. Er schließt die Augen vor dem Unsichtbaren und vor dem Tode. Er ist der Glückliche ...."

2. Der Sinn des Mythus.

Wenn es dem göttlichen Plato nicht gelingt, rein begrifflich zu zeigen, worauf es in einem Seinsbestand und bei einem Seinsvorgang ankommt, dann wählt der Liebling der sinnigen Musen das Ausdrucksmittel des Mythus. Weiß der Denker nicht zu entwickeln, was ein Seiendes ist nach seinem wesentlichen Inhalt und in seiner wesentlichen Bedeutung, dann beginnt der Künstler zu beschreiben, beginnt der Dichter zu erzählen, wie das Ding geworden, welch ein Geschehnis vordem zu einer Tatsache, zum Dasein und Zusammenwirken von Tatsachengruppen geführt hat. Oder vermag der Denker das Unsinnliche nicht rein zu geben, dann entwirft der Dichter eine sinnlich-anschauliche Schilderung der Dinge und der Geschehnisse, in welchen die Begriffe und ihre Beziehungen verkörpert sind, führt er das leuchtende Symbol einer Idee und ihrer Entfaltung vor.

Auf die Frage beispielsweise: Worin besteht die wesentliche Eigentümlichkeit des lebendigen Wortes und worin jene der geschriebenen Rede? welches ist das Verhältnis beider? — gibt eine reizvolle Erzählung Aufschluß. Der altägyptische Gott Teyth, berichtet Plato, hat das Zählen und Rechnen, die Meßkunst und Sternkunde, das Brett- und Würfelspiel und auch die Buchstabenschrift erfunden. Als er den Wert dessen, was man schwarz auf weiß besitzen kann, übermäßig pries, gab der Gott Thamus dem Erfinder zu verstehen, daß der Buchstabe, den schweigenden Malereien ähnlich, für sich stumm und hilflos, und daß er nicht mehr denn ein äußerliches Mittel sei, das, was jemand weiß und gewußt hat, in den Tagen der Vergeßlichkeit wieder hervorzurufen. Dagegen, so meinte der weisere Gott, ist die lebendige, die beseelte Rede, deren totes Abbild das Buchstabengerippe vorstellt, die Meisterin, die, im Gegensatze zum Scheinwissen, die wahre Erkenntnis pflanzt, sie in den empfänglichen Gemütern fruchtbar werden läßt und ihr Unvergänglichkeit verleiht [1].

---

[1] Ed. Zeller, Die Philosophie der Griechen [3] II 1, 483 ff, behandelt die Bedeutung des Mythus bei Plato, führt seine Mythen auf und bemerkt, daß die Erzählung von dem Gotte Teyth (Phädrus 274 ff) keine Beziehung zu philosophischen Lehren habe. Letzteres ist unrichtig. Plato gibt die feinsinnigste, eine unwiderlegliche Psychologie des ‚Traditions‘- und des ‚Schriftprinzipes‘ in Sachen des Glaubens wie des Wissens, indem er auf die Haltlosigkeit des Buchstabenglaubens und auf die Kraft der lebendigen Wahrheitsvermittlung hinweist. Der nur dient der wahren Erkenntnis, im Gegensatze zu der „Scheinweisheit" der „Vielwisser", die „im Vertrauen auf die Schrift von außen her mittels fremder Zeichen, nicht von innen her aus sich selber das Erinnern schöpfen", und „mit denen schwer umzugehen ist" — der also dient der Wahrheit, der „eine geeignete Seele nimmt und in sie μετ’ ἐπιστήμης λόγους pflanzt und säet", Reden und Begriffe, „die geschickt sind, sich selber und dem Pflanzenden zu helfen, die nicht unfruchtbar sind, sondern einen Samen ·in sich haben, aus dem in anders gearteten Gemütern andere Begriffsformen wachsen, die ihrerseits wieder tüchtig sind, den Wahrheitskeim für immer unsterblich zu erhalten und seinen Besitzer so glücklich zu machen, als es einem Menschen nur vergönnt sein kann".

Vgl. den autoritativen Gedanken 2 Petr 1, 12 ff, wo im Gegensatze zu dem ‚Schriftprinzip‘ gesagt ist, daß der Apostel, Augenzeuge dessen, was er seinen Gläubigen mündlich vorgetragen, seinen Brief nur als „Gedächtnishilfe" angesehen wissen will: σπουδάσω δὲ καὶ ἑκάστοτε ἔχειν ὑμᾶς μετὰ τὴν ἐμὴν ἔξοδον τὴν τούτων μνήμην ποιεῖσθαι (V. 15). Vgl. 2 Kor 3, 6: τὸ γράμμα ἀποκτείνει, τὸ δὲ πνεῦμα ζωοποιεῖ, und 1 Jo 2, 21: οὐκ ἔγραψα ὑμῖν, ὅτι οὐκ οἴδατε τὴν ἀλήθειαν, ἀλλ’ ὅτι οἴδατε αὐτήν, καὶ ὅτι πᾶν ψεῦδος ἐκ τῆς ἀληθείας οὐκ ἔστιν.

Welche Bedeutung Plato dem Mythus in der wissenschaftlichen Darstellung zuerkennt, wird am besten aus den eigenen Worten des ‚Homeros unter den Philosophen‘ hervorgehen. Sie stehen Timäus p. 29. Plato sagt hier: Zur Darlegung dessen, was im Lichte der Vernunft als das Bleibende und Beständige zu erkennen ist, soll die streng wissenschaftliche Erörterung sein; zur Darlegung dessen, was dem Unveränderlichen gemäß und als dessen Abbild entsteht, kann der Mythus dienen, welcher sagt, was möglich und wahrscheinlich ist: denn „wie zum Werdenden sich das Seiende verhält, so verhält sich zum Glauben die Erkenntnis" (ὅ τι περ πρὸς γένεσιν οὐσία, τοῦτο πρὸς πίστιν ἡ ἀλήθεια — ἀληθὴς δόξα und ἐπιστήμη). Mit dem erkennbaren und beweisbaren einfachen und unveränderlichen Sosein hat es im Grunde nur die Mathematik zu tun. Nun ist es höchst bemerkenswert, daß auch der Mathematiker ein rein und notwendig Seiendes, um es zu.verstehen, als ein Gewordenes ansehen kann. Die Rolle, die der platonische Mythus im unvollkommenen Dienste der philosophischen Erkenntnis spielt, spielt in vollendeter Weise die geometrische Analysis für den Fortschritt des mathematischen Wissens.

Warum wird an den platonischen Mythus erinnert? Unsere obige Erzählung will veranschaulichen, wie nach Wilhelm Wundt die religiöse Vorstellung und der Glaube an die religiösen Vorstellungen in der einzelnen Menschenseele entspringt, und wie beides zu Anbeginn in der Menschheit hervorgetreten ist. Zu diesem Zwecke wird des Wesens gedacht, das im Wunderbaren ebenso wie im Natürlichen, das im Himmel ebenso daheim ist wie auf Erden, dem das Märchenland Wirklichkeit und die Wirklichkeit ein Zaubergarten ist: es wird die Lebensgeschichte des Wunderkindes Phantasie nüchtern vorgeführt.

Wo Plato von dem Ursprung der ‚lebenden Rede‘ spricht, von dem ersten Entstehen des Vorstellungsmittels für das Glauben, des Ausdrucksmittels für das Wissen, da macht er auf die Lust und Art des Kindes aufmerksam: die Phantasie versteht alles und kann alles, und es genügt ihr, „in Einfalt den Baum und den Fels anzuhören, ob sie wohl Wahres reden“[1].

Ein Punkt ist hier hervorzuheben. Wundt erklärt den Seinen, die ‚mythologische Phantasie‘ schaffe die religiösen Vorstellungen, die Götter und den Glauben an den Götterhimmel; zwar richte sich die Künstlerin nach inneren und äußeren Umständen, nach dem Inhalt von Seelenzuständen und nach der tatsächlichen Umgebung eines Menschen, einer Gesellschaftsgruppe, doch sei sie selber die Urheberin ihrer Schöpfungen und für diese verantwortlich im letzten Grund. Nun eben da setzt die Sophistik ein.

Unser Mythus hat mit Absicht den Zug aufgenommen, daß der Vater dem Kinde, daß der Verstand der Phantasie, welche die Göttergestalten sieht, auf Erden und am Himmel sie leibhaftig wandeln und walten sieht, von den Seelen, den Geistern und den Göttern erzählt hatte. Das wird sich an Wundts neuer Hypothese über den Ursprung des Mythus und der Religion als der unheilbare Fehler herausstellen, daß die Phantasie die Vorstellung von Göttern soll bilden können, dies einmal soll gekonnt haben, ohne daß sie weiß, wie der Begriff des Göttlichen zu bilden ist, ohne daß sie von irgendwoher genauen Aufschluß darüber erhalten hat, welches die eigentliche Tragweite des Begriffes ist.

---

[1] Phädrus 275: τοῖς μὲν οὖν τοτε — als in der Frühzeit Tagen die Eichen in Dodona weissagten —, ἅτε οὐκ οὐσι σοφοῖς ὥσπερ ὑμεῖς οἱ νέοι, ἀπέχρη δρυὸς καὶ πέτρας ἀκούειν, εἰ μόνον ἀληθῆ λέγοιεν.

Wie kann die Phantasie göttliche Subjekte vorstellen, wenn sie das Prädikat des Göttlichen nicht fassen kann? Und wie soll die Phantasie das Prädikat fassen, wenn sie gebannt ist in den Umkreis der menschlichen Erfahrung? Und wie soll ihr Flug über diesen Umkreis hinaus gelangen, wie soll er sich nicht im leer Phantastischen drehen, wie soll er sich nicht zwischen den Willkürgestalten bewegen, die doch nur aus den Sinnenbildern der Erfahrung aufgebaut sind und aufzubauen sind, wenn nicht der schließende Verstand der Einbildungskraft, die zu geordneten Schlüssen unfähig ist, Weg und Richtung weist in das Reich des Übersinnlichen und des Ewigen?

Mögen sich die Götzendiener das wunderlichste, das unsinnigste Zeug vorstellen, um es als das Göttliche zu verehren: das geringste Merkmal, das sie sich in dem Göttlichsein ihrer Götter denken, ist dies, daß sie dieselben anders nehmen als sich selber, daß sie ihnen irgend ein Anderes zutrauen, als in dem gesamten Sinnenkreis angetroffen werden kann. Dies Anders und dies Andere läßt sich nicht einmal dadurch erreichen, daß die Phantasie von den Göttern das denkbar Höchste, die denkbar höchste Steigerung des Menschlichen, des Irdischen aussagt. Das alles mag den Göttern zukommen; aber die Übermenschlichen, die Überirdischen, die Unsterblichen sind die Himmlischen zuletzt eben doch nur dadurch, daß sie ‚halt anders‘ sind, eben doch nur darum, weil sie ‚anders‘ können als wir Menschen. Bedeutet die Wurzel ‚đi‘, ‚div‘, welche in den meisten indogermanischen Bezeichnungen für Gott, Gottheit und Göttliches stecken soll, soviel wie ‚Scheinen, Glänzen, Leuchten, Hellsein‘, dann sind die Götter doch nicht bloß die Glänzenden, die Himmlischen, sondern mehr und anders: die Lichtnatur selbst ist nur ein Bild, ein auszeichnendes Merkmal für die Natur des Göttlichen in den Göttern.

Mag der Mensch seinen Gott noch so sehr nach dem eigenen Menschenbilde, nach dessen verklärtester Gestalt formen, es ist ganz unrichtig, wenn Wundt die höchste Leistung der ‚mythologischen Phantasie‘ darin sieht, daß diese das ‚religiöse Ideal‘ nur als das vorbildliche Ideal der sittlichen Persönlichkeit soll vorstellen und hinstellen können. Wurden und werden doch schauerlich unwürdige Gestalten als Götter verehrt — würdelose Gestalten selbst nach der Anschauung ihrer Verehrer —, weil eben der Verstand das Göttlichsein in dem Anderssein findet, das von dem Sein alles Sichtbaren und im gemeinen Sinn Unsichtbaren verschieden ist! Gerade wegen dieses Andersseins, das die Phantasie für sich nicht fassen und wofür sie keinen positiven Namen schaffen kann, mag der irrende Verstand einem Gott zutrauen und zugestehen, was dem Sterblichen niemals zu gestatten wäre. Sind Homers und Hesiods Götter, sind die Götter der Ägypter, Phönizier, Babylonier, Inder und Parsen, sind die Götterfratzen der Naturvölker nicht Zeugen für das Gesagte?[1]

Wir sind überzeugt, daß die Phantasie, die gar nichts, weder ein Subjekt noch Prädikate für ein Subjekt, aus sich allein zu erschaffen die Kraft hat, den Begriff des Göttlichen, dessen Vorstellung sie gestalten soll, anderswoher, zuletzt von der schließenden Vernunft entlehnt und entlehnen muß. Dieser unser Satz wird durch die psychologische Würdigung der primitiven und der kindlichen Kunstübung vollauf bestätigt. Die neuesten Untersuchungen des ebenso bedeutsamen als anziehenden Gegenstandes bekräftigen dies.

Aus der vorgeschichtlichen (paläolithischen) Zeit haben wir Zeichnungen hauptsächlich von Tieren und Menschen, die durch ihre Natürlichkeit überraschen. Muster sind die auf Renntierhorn und Mammutelfenbein geritzten Figuren aus den Höhlen von Cecy, Combarelles, Altamira, Fonte de Gaume, Thayingen bei Schaffhausen und von andern Fundstellen. Auf den ersten Blick ersieht man die Ähnlichkeit der uralten Zeichnungen mit solchen einmal der lebenden Naturvölker (Buschmänner, Ozeanier, Indianer), sodann mit den ersten Versuchen der Kinder.

---

[1] Die sehr leicht gehaltene Arbeit über ‚Die Anfänge der Religion und die Religion der primitiven Völker‘ von Eduard Lehmann in der ‚Kultur der Gegenwart‘ (Teil 1, Abt. 3, 1, Die orientalischen Religionen 1 ff) schließt mit den Sätzen: „Die Hauptfrage ist nicht, ob primitive Menschen sich das Höchste als eine oder mehrere Gottheiten vorstellen, sondern welche geistigen Werte dieses Höchste repräsentiert. Selbstverständlich aber können sie ihrem Gotte keine höheren moralischen Ideen zulegen als diejenigen, die sie selbst besitzen und die sie zu schätzen verstehen." Der Verfasser glaubt an die Hypothese des Evolutionismus und hält dafür, daß die Zeugnisse der Steinzeit und der Pfahlbauten schon, die „deutlich genug von dem Weg erzählen, den die Menschheit von niedrigster Stufe zur Kultur hinauf gewandert ist", „den philosophischen Ahnungen wie den biblischen Traditionen von einem höheren Anfangszustande der Menschheit jeden geschichtlichen Boden" entziehen. Eigentümlich! Eingangs hatte Lehmann gesagt, daß es sich in Bezug auf die „Anfänge der Religion" und auf die „Religion der primitiven Völker" heute noch wie früher bloß um „Vermutungen" handle, nicht um ein „Wissen". Und doch ‚weiß‘ L., daß die Bibel keine geschichtliche Unterlage hat! Zugleich ‚weiß‘ er, nach dem letzten Satz der hingeworfenen Studie, daß die primitiven Menschen ihren Göttern keine höheren sittlichen Prädikate geben können, als sie selber zu schätzen vermögen. Wohl aber — und das wäre zu betonen — können die primitiven Menschen einem Gott geringere sittliche Eigenschaften beilegen, als sie selbst haben. Wenn der letztere Umstand das Gottsein des Gottes nicht aufhebt, so geht dasselbe in dem ersteren Umstande sicherlich nicht auf. Das Göttliche ist folglich etwas Anderes, als die evolutionistische Phantasie zu sagen im stand ist.

Als Eigenheit der primitiven und der kindlichen Kunstübung erscheint nun der Umstand, daß nicht so fast die unmittelbaren s i n n l i c h e n Eindrücke, daß vielmehr in den Zeichnungen das wiedergegeben oder angedeutet ist, was die Künstler von den Gegenständen w i s s e n. Neuerdings wurde gesagt: Die primitive und die kindliche Kunst ist nicht ,physioplastisch', sondern ,ideoplastisch'. Beigefügt wird, daß die Darstellungen fast aller Naturvölker — die Buschmänner mit ihren naturalistischen Jagdszenen machen eine Ausnahme — die Vorstellung wecken, sie seien nicht der reinen Freude am Nachbildenkönnen, sondern zumeist religiösen Grübeleien entsprungen. Daher soll die Vorliebe für Fabelwesen rühren, die an Ahnen, Seelen, Geister, Götter zu erinnern hätten. Der Aberglaube will die Verstorbenen und die Götter nahehaben, um sie mit Opferdienst, Gebet, Beschwörung an bestimmten Orten erreichen zu können[1].

---

[1] Vgl. unter vielen andern Max Verworns Vortrag über die ,Psychologie der primitiven Kunst' auf dem internationalen Anthropologenkongreß in Köln (am 29. Juli 1907). — Einen recht unbefriedigenden Eindruck macht in Wundts Völkerpsychologie II (1, 63—86) die Ausführung über die Phantasie des Kindes. Die Darstellung sollte grundlegend sein. Neben manchen richtigen Entlehnungen finden sich Unterscheidungen, deren Grundlosigkeit auf den ersten Blick einleuchtet. Wie schlecht steht es S. 79 um den Satz: Die oft behauptete Analogie der kindlichen Kunstleistungen mit denen primitiver Völker sei eigentlich hinfällig! Wenn es auch dem Verfasser „zweifelhaft scheint", ob Kinder im dritten bis sechsten Jahr ohne äußere Aufforderung und Anleitung irgendwelche Formen nachzeichnen würden, woraus erhellt denn unzweifelhaft, daß die uns bekannten Zeichnungen Angehöriger der Naturvölker ohne äußere Anregung entstanden sind? Daß hier vorgefaßte Meinung die Stelle der Wissenschaft vertritt, ist unbestreitbar, und das eine Beispiel statt vieler ist belehrend; es richtet eine Warnungstafel auf in Bezug auf die ,experimentelle Psychologie'. Was Wundt, nebst andern, mit der Unterscheidung will (a. a. O. S. 85): die Zeichnungen des Kindes seien nach ihrer psychologischen Bedeutung „mindestens ebensogut Analoga der Bilderschrift als solche der primitiven Kunst", ist unerfindlich. Könnte die Bilderschrift, die ideographische Zeichnung nicht die erste Form der primitiven Kunst sein? Haben andere, welche die ersten Kunstübungen des Menschen überhaupt nicht ,physioplastisch', sondern ,ideoplastisch deuten, und die im Naturalismus derer, die zu zeichnen versuchen, wie sie die Dinge sehen und sich regen sehen, nicht nach dem, was sie von den Dingen wissen oder in der Erinnerung haben, schon einen bedeutsamen Fortschritt über die Anfänge der Kunst hinaus erkennen — nicht die weitaus besseren Gründe für sich? Zu dem Gedanken, der freilich für Wundts ,mythologische Phantasie' tödlich ist, nämlich daß all unser Wissen und Glauben, daß insbesondere alles Gestalten der Einbildungskraft auf minder und mehr bestimmte, von den Sinneseindrücken herrührende ,Erinnerungssymbole' auf ,ideographische', ,ideoplastische' Zeichen, mithin auf etwas angewiesen ist, was die Phantasie nicht frei erfinden konnte, sondern was ihr dargeboten worden ist auf irgend eine Weise - - vgl. T h o m a s, S. th. 1, q. 85, a. 3: Prius secundum sensum diiudicamus magis commune quam minus commune, et secundum locum et secundum tempus. Secundum locum quidem, sicut cum aliquid videtur a remotis, prius deprehenditur esse corpus, quam deprehendatur esse animal; et prius deprehenditur esse

Aus dem Gesagten ergibt sich zweierlei. Die Phantasie erschafft nicht ihre Gestalten frei, sie läßt sich vielmehr vom Beobachten und Nachdenken (Gedächtnis) ‚einsagen‘, was und wie sie bilden soll. Sodann, und das ist die Hauptsache, der religiöse Glaube (Aberglaube) ist nicht der Sprößling, sondern weit eher der Vater der Geschöpfe zu nennen, welche die ‚mythologische Phantasie‘ an das Licht bringt.

Auch Wilhelm Wundts ‚mythologische Phantasie‘ hat ihre stillen Einsager. Sie verschulden es mit, daß gar manche Behauptungen bei Wundt, so viele Begleitumstände richtig genannt sein mögen, entweder von unbeweisbaren Vorannahmen ausgehen oder auf Beweiserschleichungen hinauslaufen.

3. Begründung der ‚mythologischen Phantasie‘.

Wundts ‚Einleitung in die Philosophie‘, vielleicht sein am meisten durchgearbeitetes Werk, nennt als den Gegenstand der Religion „die übersinnliche Welt". Sofort wird hinzugefügt, daß zwar die menschlichen Wünsche und Hoffnungen in das Reich des Übersinnlichen hinübergreifen, daß aber keine theoretische Kenntnis dorthin zu dringen vermöge. Immerhin weise die sinnliche, empirische Welt auf die übersinnliche hin: denn unser Fragen nach dem Grund und Zweck der Dinge bleibe nicht stehen, wo das Erkennen bestimmte Grenzen vorfinde; die menschliche Vernunft strebe vielmehr kraft ihrer eigensten Natur über die Schranken hinaus.

Freilich weiß die Vernunft ihrerseits, da ja, wie Wundt mit Immanuel Kant überzeugt ist, kein theoretisches Wissen auf dieser Straße gehen kann, von dem Ziel ihres Strebens, also wohl auch von dem Streben selber nichts. Aber das ‚religiöse Gefühl‘, das nun allerdings wieder kein Wissen ist, hilft der ‚vernünftigen Unwissenheit‘ ab. Und wie vollbringt es sein Kunststück? Das religiöse Gefühl wächst einfach aus einem ‚Bedürfnis‘ hervor. Dieses gebietet, zwischen den Erscheinungen,

---

animal, quam deprehendatur esse homo, et prius homo, quam Socrates vel Plato. Secundum tempus autem, quia puer a principio prius distinguit hominem a non homine, quam distinguat hunc hominem ab alio homine; et ideo pueri a principio appellant omnes viros patres, posterius autem determinant unumquemque, ut dicitur (Aristot. Physic. 1, text. 5). Et huius ratio manifesta est: quia qui scit aliquid indistincte, adhuc est in potentia, ut sciat distinctionis principium, sicut qui scit genus, est in potentia, ut sciat differentiam.

Möchte Wundt etwas Ähnliches aussagen, wie der viel präzisere Scholastiker, mit den Worten (a. a. O. 86): „Die verschwimmenden Erinnerungsbilder, von denen das dürftige Schema der kindlichen Zeichnung umschwebt wird, beleben diese genau so wie das Spielzeug, das ja im Grund ein ähnliches Erinnerungszeichen an den Gegenstand selbst ist"?

die uns in der äußeren Erfahrung gegeben sind, und den sittlichen Trieben oder den Gemütsbewegungen, aus denen die Triebe stammen, eine Übereinstimmung herzustellen. Das ist die Übereinstimmung zwischen dem ‚Selbstgefühl' und dem ‚Mitgefühl'. Dem Bedürfnis aber, „namentlich auf seinen ursprünglichen Stufen", wird der unwiderstehliche Drang zugesprochen, „den Zusammenhang der Dinge und Erscheinungen durch Vorstellungsbildungen zu ergänzen, in denen die ethischen Wünsche und Forderungen ihren Ausdruck finden"[1].

---

[1] Mit Vorstehendem (vgl. Grundzüge der physiologischen Psychologie II⁵ [1902] 523) haben wir nach Wundt den ‚Agnostizismus' und den ‚Voluntarismus' beisammen, also den Widersinn, der, wie in unserer Prorektoratsrede gesagt ist (oben S. 46 ff), es für möglich halten muß, daß aus dem blindgebornen Verlangen von selber ein sehendes Glauben entsteht. Freilich wird man dies nur verstehen können, wenn man mit Wilhelm Wundts ‚altem Kirchenlehrer Tertullian' nicht etwa rhetorischen, sondern buchstäblichen Gebrauch von dem Satze macht: „Credo, quia absurdum est." Die Einleitung in die Philosophie[1] (1901) 24 ff begründet die ‚wechselseitige Achtung', worin das Verhältnis zwischen Philosophie und Theologie bestehen soll, mit den Sätzen: „Da beide . Welten ihrem Inhalte nach völlig geschieden sind, so kann die Philosophie ebensowenig der religiösen Weltbetrachtung bestimmte Gesetze geben, wie die Religion befugt und befähigt ist, sich in die Geschäfte der Wissenschaft einzumengen, in die der Philosophie so wenig wie in die irgend einer einzelnen Disziplin. Wie daher die Religion nichts mit der Frage zu schaffen hat, ob sich die Erde im Weltraum bewege, ob die Menschen von affenähnlichen Urahnen abstammen, ob die psychischen Vorgänge zu ihrer Erklärung eine Seelensubstanz fordern oder nicht usw., gerade so wenig hat von dem so gewonnenen Standpunkt aus die Philosophie irgend etwas mit der Frage zu tun, wie sich der Mensch nach seinem religiösen Bedürfnis zu der übersinnlichen Welt verhält, die für ihn diese sinnliche Welt ergänzt." Diese Belehrung wird, wer immer mit Aristoteles ‚von Natur aus nach dem Wissen begehrt', für einen schreienden Widerspruch erklären. Denn wenn ich mit der theoretischen Vernunft schlechthin von einer übersinnlichen Welt nichts wissen kann, wie kann ich doch wissen, daß sie vorhanden und daß sie von der sinnlichen Welt ‚völlig geschieden' ist? Könnte die Insel Atlantis, die Heimat der Seligen, nicht ein Traumland der Wünsche sein? Vermag aber das Wünschenmüssen seine eigene Berechtigung und den Grund dafür, die Objektivität eines Zieles zu beweisen, da es überhaupt nicht und nichts zu beweisen vermag? Wer hilft dem Verstand über den Abgrund der Alogie hinüber? Die ‚Voluntaristen' würden gut daran tun, über die axiomatischen Sätze klar zu werden: Appetitus sequitur apprehensionem; nihil volitum, nisi praecognitum; und: Impossibile est naturae appetitum vanum esse. Zum ersteren vgl. Thomas, S. th. 1, q. 79, a. 1, zum andern Thomas, S. ph. 2, 32.

Wenn die dramatischen Kriegstänze der Wilden die Kämpfer in eine ekstatische Begeisterung versetzen, so daß der Siegeswunsch den wirklichen Sieg, der nicht ausbleiben darf, vorwegnimmt; wenn der Regen in der Phantasie der Naturkinder den notwendigen Regen in der Wirklichkeit meint erzeugen zu können: was trägt dies und ähnliches (Kultur der Gegenwart a. a. O. 11) für die Beweiskraft des Wünschens und Wollens aus?

Wie ‚wissenschaftlich' eine Beweisführung nach dem Goetheschen Muster ist (vgl. die Prorektoratsrede oben S. 42):

Wie nun stillt der Mensch das Bedürfnis, das die Übereinstimmung
zwischen seinem Selbstgefühl und seinem Mitgefühl herbeiführen soll?
Der Mensch läßt, wie angedeutet, die religiösen Vorstellungen in sich entstehen, genauer: die Phantasie läßt dem Menschen die Vorstellungsbildungen werden, in welchen er den Ausgleich zwischen der Erscheinung,
die mit dem Selbstgefühl, und dem Ideal, das mit dem Mitgefühl stimmt,
anschaut, in welchen er die Ergänzung der sinnlichen durch die sittlich-
unsinnliche Welt vor sich hat. Wie es wiederum bei der Phantasietätigkeit vordem zugegangen ist, wie es dabei zugeht jederzeit, hierüber
unterrichtet uns einmal die Geschichte, dann die Psychologie der Religion.
Jene beschreibt die unterschiedlichen Religionsformen in ihren Umrissen;
diese hebt die Grundform des religiösen Vorstellens heraus, die sich in
allen Erscheinungen der Religion offenbart. Beides zugleich veranschaulicht unsere mythische Erzählung von dem Kinde Eva.

I. Religionsgeschichte. Die Anfangstätigkeit der mythologischen,
der religiösen Phantasie sieht Wilhelm Wundt in dem sogenannten
‚Animismus'[1].

Mit der Hypothese vom Animismus, die übrigens eine bloße Hypothese und keineswegs eine allgemein zugelassene ist, haben die Männer
der Religionswissenschaft die Stufe der Entwicklung bezeichnet, auf
welcher der Mensch alle Dinge beseelt und sie mit der Lebhaftigkeit des
Kindes als seinesgleichen nimmt. Der kindliche Mensch spricht alle
Wesen ausnahmslos an und läßt sich von ihren Lautgebungen und Bewegungen, von ihrer Färbung, Gestaltung, von ihren hervorstechenden, auf-
fallenden Eigentümlichkeiten ansprechen. So wird den Dingen Leben,
Empfindung, Gefühl, Wille, kurz jede Eigenschaft beigelegt, die der
Mensch in sich findet. Für das dumpfe Bewußtsein, daß ein durch-
gängiger Zusammenhang, eigentlich eine Einerleiheit zwischen den seelischen Erscheinungen und allen sonstigen Lebensregungen bestehe, läßt

---

„Du hast Unsterblichkeit im Sinn:
Kannst du uns deine Gründe nennen?
Ja wohl, der Hauptgrund liegt darin,
Daß wir sie nicht entbehren können . . .“

braucht nicht wiederholt in Erinnerung gebracht zu werden. Was z. B. Ebbinghaus
(‚Psychologie' in der ‚Kultur der Gegenwart' Teil 1, Abt. 6, S. 227) über den ‚Bedürfnisglauben, Gefühlsglauben' zu sagen weiß, wird dessen Schlußkraft kaum steigern.
[1] Zum Folgenden s. namentlich Wundt, Grundriß der Psychologie[6] (1904): „Der
Mythus", und Völkerpsychologie: „Die mythenbildende Phantasie" (II 1, 527—617).

die Phantasie des Naturmenschen die Zustände des Subjektes sämtlich in das Objekt ‚hinüberwandern‘, und dort werden sie wieder als die eigenen Zustände des Menschen empfunden.

Auf der Kindheitsstufe lebt der Mensch zwar nur der räumlichen und zeitlichen Gegenwart, dem Augenblick an jedem Orte. Das Bedürfnis des Leibes drängt aber selbst das tierische Behagen, doch auch der Ferne und des Kommenden zu achten, dem Blick des Auges und dem Treiben des Hungers zu folgen. Je nachdem Sinn und Verlangen auf Zusagendes oder auf Zurückstoßendes treffen, sondern sich die Gefühle der Seele: Bekanntes (Wiedererkanntes) und Annehmliches weckt Freude; Fremdes, was sich den bisher gewohnten Vorstellungsreihen nicht einfügt, und Abweisendes erzeugt Furcht.

Unwiderstehlich und in mannigfachster Weise muß der Tod von Genossen und von irgendwelchen Lebewesen in der Urzeit auf die Überlebenden gewirkt haben. Erinnerungs- und Traumbilder steigen auf. Das überall webende und sich regende Etwas, die namenlose oder wunderlich benannte Schicksalsmacht, die bald lockt bald schreckt, immer aber am Werk ist, greift aus dem Verborgenen herüber und spürbar in den Daseinskreis der Menschen ein. Die schwanken Gestalten der Verstorbenen kommen und teilen sich in die Rollen von Mächtigen, von Übermächtigen, die freundlich und gütig sorgend oder unwirsch und feindlich drohend umgehen.

Eine Art Abzweigung vom Animismus ist der ‚Fetischismus‘[1]. Er tritt auf, wenn die Phantasie und das Gefühl des Naturmenschen die Schicksalsmächte an bestimmte Tiere, Pflanzen, Steine, Handarbeiten bindet, an Gegenstände, durch welche die neugierige und wißbegierige Aufmerksamkeit bezaubert und verzaubert wird. Im Zauber-, Gespenster-, Amuletglauben und den zugehörigen Bräuchen (Behexen, Enthexen) leben der Animismus und der Fetischismus selbst unter den gebildeten Nationen fort, so daß, meint Wundt[2], der reine Monotheismus als „alleinherrschende

---

[1] Die herkömmliche Auffassung vom Fetischismus, die auch Wundt nicht überwunden hat, wird neuestens dahin charakterisiert: „Materielle Dinge nehmen in der Ordnung der Dinge eine viel zu niedrige Stufe ein, als daß es irgend einem menschlichen Wesen in Westafrika einfallen könnte, sie anzubeten." Der Fetisch (feitiço) ist dem rohen Aberglauben zunächst ein Zaubermittel, nicht ein Idol; zu letzterem soll der Fetisch werden können „nach der Überwindung des Fetischismus" (Kultur der Gegenwart a. a. O. 13 f).

[2] Völkerpsychologie II 1, 541.

Volksreligion" vielleicht niemals existiert hat, bei den Griechen und Indiern sowenig als im Buddhismus, Judentum, Christentum oder Islam.

Auf eine höhere Stufe erhebt sich das religiöse Vorstellen in den ‚Naturmythen'. Nun sieht die Phantasie hinter den regelmäßigen und namentlich hinter auffälligen Naturerscheinungen (Sturm, Gewitter, Erdbeben) wirkende Kräfte, die sie in persönliche Wesen umdichtet. Um deren huldvoll-gnädige oder strafend-rächende Gesinnungen und Taten zu schildern, hat die poetische Gestaltungskraft des Menschen die herrlichsten Erzeugnisse geschaffen (vedische, parsische, homerische, maorische, auch hebräische Dichtung). So ward die Natur ‚voll von Göttern', die das Sein, Leben, Sterben, Fortleben von Mensch, Tier und Pflanze bis ins kleinste beeinflussen [1].

Unter der Einwirkung von Dichtern und Denkern, die sich des Mythengehaltes bemächtigen, die Mythen fort- und umbilden, vollzieht sich eine Scheidung derselben. Der Verstand sucht nach den natürlichen Gründen, auf welchen die Dinge mit ihren Erscheinungen erfahrungsgemäß zunächst beruhen; die Wissenschaften, deren Einheit vorerst die Philosophie darstellt, erwachen aus den mythologischen Träumen, und sie forschen nach der sachlich-logischen Verkettung der Weltzusammenhänge. Das Sinnen, das sich, von ästhetisch-ethischen Beweggründen geleitet, noch in den Bahnen der gefühls- und phantasiemäßigen Seelenregungen hält, macht aus den Vorstellungen von den (Natur-)Göttern Bilder von sittlich handelnden Persönlichkeiten. So gehen die ‚wissenschaftliche' und die ‚sittlich-religiöse' Weltanschauung auseinander.

Die Entwicklung des religiösen Glaubens schließt damit ab, daß die Vorstellung vom Sittlichen selbst, von dem Seinsollenden, einheitlich versinnlicht wird. Indem der Mensch sein Wesen mit seinem Streben, Bedürfen und Vermögen, namentlich mit seinen Regungen für das Geziemende beschaut, und indem er von allem das Beste nimmt, formt ihm die Phantasie die Vorstellung von einer allbefriedigenden Vollkommenheit. Ihr Bild wird zum Ideal erhoben, das dem Verhalten des Menschen Vorbild sein, dem Fragen Antwort geben, dem Hoffen und Sehnen Bürgschaft leisten kann, eine Gewähr, der sich der Erdenwanderer inmitten

---

[1] Das Wort von Thales, das Aristoteles (De anima 1, 5) anmerkt: πάντα πλήρη θεῶν εἶναι — ist ein Ausdruck für die Meinung des ‚Hylozoismus'. Jedenfalls ist Ciceros dualistische Deutung (De nat. deor. 1, 10): Thales Milesius aquam dixit initium rerum, deum autem eam mentem, quae ex aqua cuncta fingeret -- ungeschichtlich, wie Überweg-Heinze mit Recht betont.

der allgemeinen Entwicklungsbewegung, deren Endziel freilich für immer verhüllt bleibt, mit voller Herzensruhe überlassen mag.

Wenn das Ideal der Vollkommenheit mit Ehrerbietung und heiliger Scheu gehegt, mit anbetender Liebe umfaßt wird, wenn in dem Ideale die Form eines Daseins erschaut ist, das allen Wünschen, allen Forderungen des Menschengemütes rein entspricht, dann ist das religiöse Vorstellen auf dem Höhepunkt seiner Entfaltung angekommen[1].

II. Religionspsychologie. Nicht ganz so durchsichtig wie die Geschichte des religiösen Vorstellens läßt sich die Psychologie des Phänomens nach Wundt vorführen. Auch birgt sich hier die Hauptschwäche. Schon der gehäuftere Gebrauch von Kunst- und Schulausdrücken, meist Fremdworten, will Mißtrauen wecken, und es legt sich, wie von selber, ein Vergleich nahe.

Wundt erblickt mit andern in den Kinderzeichnungen nicht so fast künstlerische Nachbildungen von Gesehenem, als vielmehr ‚Erinnerungssymbole‘, wahrnehmbar gemachte Spuren dessen, was die Kinder von Gesehenem wissen oder zu wissen vermeinen. Das Fremdwort ist sehr oft den Strichen der Kinderzeichnung ähnlich: es gibt einen Gegenstand oder einen Vorgang nicht in der aufgefaßten Vollständigkeit wieder, sondern eine Seite der Sache, ein Moment der Vorstellung, die sich der Redende mit Grund und nicht selten ohne Grund von der Sache gemacht hat und die er nun der Sache gleichsetzt. Der vornehme Klang, die nicht alltäglichen Laute, namentlich wenn Assonanzen, Alliterationen, Antithesen die Verbindungen von Fremdworten für das Ohr noch herausheben, veranlassen dann leicht im Sprechenden und Hörenden den

---

[1] Viel schwächer als von Wundt wird die Hypothese des ‚religiösen Evolutionismus‘, dessen Urquell der ‚Anthropomorphismus‘ der ‚mythologischen Phantasie‘ im ‚Animismus‘ zu sein hat, von Hermann Ebbinghaus vorgeführt (‚Psychologie‘ in der ‚Kultur der Gegenwart‘ Teil 1, Abt. 6, S. 228 ff). Der Schluß lautet: „Wie ungeheuer der Unterschied auch sein möge zwischen dem Glauben Luthers, der seinem Herrgott ‚den Sack vor die Tür wirft‘ und ihn energisch darauf hinweist, daß er nach den gegebenen Verheißungen sein Gebet um die Erhaltung Melanchthons durchaus erhören müsse, wenn man ihm anders noch trauen solle, der dem Teufel mit der Gebärde eines Landsknechts seine vollkommene Verachtung ausdrückt — und dem Glauben Spinozas, dessen Gott sich zu demjenigen Luthers verhält wie das Sternbild des Hundes zu dem irdischen bellenden Hund, dessen Leben in Gott gleich ist der Betrachtung des großen vernünftigen Zusammenhangs aller Dinge: das, was beide in ihrem Glauben suchen und was sie in ihm finden, ist genau Dasselbe, eben das, was aller Religion gemein ist: Schutz vor dem unheimlichen Unbekannten und vor den Schrecken des Übergewaltigen, Ruhe für das unruhige Herz."

Glauben und Aberglauben, es wolle eine ganz erlesene Wahrheit sich offenbaren. Wer aber ein Ding vollständig kennt, weiß auch seine Kenntnis in einfacher Muttersprache auszudrücken; die Fremdworte wird er höchstens als abkürzende Gedächtnismittel benützen, wie der Künstler einer den Kinderzeichnungen ähnlichen Skizze nicht selten ein umfassend geschautes Bild gleichsam zur Aufbewahrung rasch anvertraut.

Die Hauptfrage der Religionspsychologie lautet: Welche seelische Kraft und Tätigkeit ist es vor den übrigen, die die mythologischen Vorstellungen und aus diesen, indem sie nach und nach geklärt, verfeinert, geläutert werden, die religiöse Vorstellung schafft?

Wilhelm Wundt hat als Antwort den Ausdruck von der ‚personifizierenden Apperzeption'. Was ist die personifizierende Apperzeption, die Seele der mythenerzeugenden, religionbildenden Tätigkeit der menschlichen Phantasie? Ist diese Tätigkeit, welche die Gestalten von Göttern und die Vorstellung von Gott für die Anschauung und Anbetung des gläubigen Gemütes hervorbringt, genetisch begriffen, dann ist die religiöse Grundfunktion der Menschenseele erkannt[1].

Dieser Gedanke enthält zwar, wenn er nicht etwa bloß von den durch die Phantasie zu beschaffenden Einkleidungsformen für das Göttliche, sondern vom Begriff und Inhalte des Göttlichen selber verstanden werden soll, wir wissen es schon, ein aufgelegtes Sophisma. Wundt läßt aber die notwendige Unterscheidung zwischen Formen, die nichtige Hüllen sein können, und einem Inhalt, der, nicht aus Phantasie-, sondern aus Erkenntnisgründen, erweisbar richtig sein mag, keineswegs zu ihrem Rechte kommen. Der Anwalt der Völkerpsychologie meint: „Wenn es etwas gibt, was die Anthropologie als feststehende Tatsache erwiesen hat, so ist es dies, daß die Eigenschaften der menschlichen Phantasie und daß

---

[1] Auf die psychologischen, erkenntnistheoretischen Grundworte, wie ‚Fühlen, Empfinden, Wahrnehmen, Vorstellen, Anschauen' nach ihrem Ursprung und ihrer eigentlichen Bedeutung können wir nicht eingehen. Freilich müßte man hier einsetzen, wollte man den vielgestaltigen Gebrauch allseitig kritisch werten, den die Leute von den ‚selbstverständlichen' Worten machen, auch vom ‚religiösen Vorstellen', und wollte man dem oft unglaublichen Mißbrauche wehren, den die Philosophen mit den Worten treiben. Die ‚petitiones in definiendo et probando', die ‚quaterniones, metabases, fallaciae' gerade in den psychologischen Anfängen sind Legion. Die ‚Assoziations-' und die ‚Apperzeptionspsychologen' der neueren Zeit haben in dem Bestreben, alte Fehler zu meiden, oft nur neue hinzugebracht. Wie der Verfasser die schwierigen Fragen zu behandeln versucht, zeigt sein Abriß der Noetik ‚Vom Erkennen' (1897), aus dem zweiten Abschnitt ‚Erkenntnistheorie' namentlich die Paragraphen von der ersten und zweiten Wahrheitsquelle, von dem „Selbstbewußtsein" und von dem „Sinn" (152—167).

die Gefühle und Affekte, die das Wirken der Phantasie beeinflussen, bei den Menschen aller Zonen und Länder in den wesentlichsten Zügen übereinstimmen." Demgemäß wird gefolgert: Wenn sich an verschiedenen Orten dieselben Mythen-, Märchen- und Fabelstoffe finden, so müsse man durchaus nicht annehmen, die Motive der Vorstellungen seien von einem Punkt aus nach den verschiedenen Gegenden gewandert; denn vermöge der gleichen Phantasieanlage bei allen Völkern können dieselben Anschauungen sehr wohl an verschiedenen Orten und auch zu verschiedenen Zeiten, also vielmals entstanden sein [1].

Letzteres wird gewiß zutreffend sein. Wir gehen noch weiter. Nicht bloß dieselben Einbildungen können unter den verschiedensten Himmelsstrichen ,autochthon' sein. Wir sind mit dem großen Augustinus und mit den ersten christlichen Schülern der heidnischen Philosophen überzeugt, daß die Erkenntnis der religiösen Grundbegriffe keineswegs auf Entlehnungen aus der übernatürlichen Offenbarung beruhen müsse, daß sie vielmehr dem natürlichen Denkvermögen, das bei allen Menschen gleich ist, durchaus zugänglich ist.

> „Und erbarmungsreiche Liebe
> Neigt dem Sucher sich entgegen:
> Jedem, der nach Wahrheit dürstet,
> Quillt ihr Born auf allen Wegen." [2]

Allein aufs entschiedenste lehnen wir den Paralogismus ab: Weil alle Menschen in gleicher Weise sehen und denken können, müssen sie das Gleiche sehen und denken in einer Weise, nämlich das Richtige richtig.

---

[1] Völkerpsychologie II 1, 571.

[2] Die Strophe von F. W. Weber gehört zu den schönsten Umschreibungen eines Grundgedankens aus der biblisch-theologischen Erkenntnislehre: „Deum, rerum omnium principium et finem, naturali humanae rationis lumine e rebus creatis certo cognosci posse; invisibilia enim ipsius a creatura mundi per ea quae facta sunt intellecta conspiciuntur" (Rom 1, 20). Conc. Vatican. — Augustins Thema von der Möglichkeit der natürlichen religiösen Erkenntnis allüberall lautet z. B. De civ. dei 10, 29: „Videtis utcumque, etsi de longinquo, etsi acie caligante, patriam, in qua manendum est, sed viam, qua eundum est, non videtis; videtis tamen qualitercumque et quasi per quaedam tenuis imaginationis umbracula, quo nitendum sit." Von den alten Philosophen heißt es (ebd. 2, 7): „Quidam eorum — Augustin verehrt vor allen die Platoniker — quaedam magna, quantum divinitus adiuti sunt, invenerunt; quantum autem humanitus impediti sunt, erraverunt, maxime cum eorum superbiae iuste providentia divina resisteret, ut viam pietatis ab humilitate ad superna surgentem etiam istorum comparatione monstraret." Die Stellung der ältesten griechischen Lehrer beleuchten die Bilder, unter denen ihnen die (hellenische) Philosophie erscheint, z. B. ἐπαιδαγώγει εἰς Χριστόν προπαρασκευάζει προοδοποιοῦσα κίνησις παρὰ θεοῦ (Clemens Alexandrinus); λόγοι σπερματικοί, σπέρμα λογικόν u. ä. bei den Apologeten.

Die ‚personifizierende Apperzeption' Wundts soll alle Völker zu einer religiösen Vorstellung führen, die im Grund und Anfang auf Dasselbe zielt, weil sie nach denselben Gesetzen der an allen Orten gleichen Menschenphantasie vorangeht. Diese Apperzeption aber, die den Mythus aus der ‚mythologischen Phantasie' herleitet, ist nicht etwa bloß eine Tautologie, wie die Voraussetzung einer ‚geometrischen Phantasie' für die Erklärung der geometrischen Vorstellungen, die Annahme einer ‚arithmetischen Phantasie' für die der arithmetischen Vorstellungen u. a. jeweils doch nur müßige Wortwiederholungen sein würden. Nein, Wundts ‚personifizierende Apperzeption' bewegt sich auf der Bahn der Alogie. Darum kann sie eine mögliche Deutung des religiösen Grundphänomens mit nichten sein.

Nun die Worte selber! Die Apperzeption nach Wilhelm Wundt setzt die Perzeption voraus und unterscheidet sich von ihr.

Was ist eine ‚Perzeption'? Ganz allgemein kann man sagen: Perzeption ist jeder psychische Inhalt für einen Menschen, sei er etwas Elementares wie die Empfindung und das Gefühl, sei er ein zusammengesetztes Gebilde wie die Vorstellung, die Gemütsbewegung, der Willensvorgang, oder sei er eine Verbindung von solchen Gebilden (Assoziation, Assimilation, Komplikation). Nicht darum handelt es sich, wie ein psychischer Inhalt zu stande kommt, sondern um sein Vorhandensein, und mit Perzeption, Perzipieren will näherhin ausgedrückt werden, daß wir um ein Daseiendes in der Seele wissen, es fassen, es wahrnehmen, es uns vorstellen, vorhalten, es innehaben, es spüren. Die Perzeption legt hiernach einem psychischen Inhalt entweder ausdrücklich oder stillschweigend die Eigenschaft des Bewußten bei: Das Ding ist mir bewußt — ich bin mir des Vorganges bewußt. Die Art und der Deutlichkeitsgrad des Bewußtseins, die Fragen, wie das Bewußtsein selbst, das Bewußtwerden eines Inhaltes, das Bewußtsein des Bewußtseins usw. entsteht, bleiben außer Betracht. Es handelt sich bei der Perzeption nur um die Tatsache des Wahrnehmens, des irgendwie bewußten Erlebens und Habens eines psychischen Inhaltes von seiten eines Bewußtseinssubjektes.

Am häufigsten gebrauchen wir statt Perzeption das Wort von der Vorstellung als innerer Wahrnehmung. Dabei setzen wir für gewöhnlich ohne weiteres voraus, daß unserer Vorstellung, Wahrnehmung, Anschauung etwas entspreche, daß wir irgend ein Etwas außer uns, an uns, in uns perzipieren. Das Unterscheidende an der Perzeption besteht aber darin, daß sie der Bewußtseinszustand eines empfindenden, fühlenden, wollenden Subjektes die vom Subjekt aufgefaßte Innenseite seines Zustandes ist.

Merken wir etwas um uns und in uns, dann perzipieren wir; merken wir, daß wir merken, dann haben wir eine Perzeption. Merken wir nun weiter auf eine Perzeption auf, dann ‚apperzipieren‘ wir.

Den durch eigentümliche Gefühle der Spannung, der Erwartung charakterisierten Seelenzustand, vermöge dessen wir auf etwas Bestimmteres ausgehen, nennen wir Aufmerksamkeit. Entweder werden wir infolge der Empfindungen auf etwas aufmerksam (unwillkürlich, triebhaft, passiv), oder wir machen uns, sei es durch äußeren Einfluß, sei es durch inneren Reiz angeregt, selber aufmerksam (willensmäßig, aktiv). Der Vorgang, durch den uns ein psychischer Inhalt, eine Perzeption, zu klarerer Auffassung gebracht wird, ist die ‚Apperzeption‘. Den Inhalt, dem die Aufmerksamkeit und Apperzeption zugewandt ist, können wir den Blickpunkt des Bewußtseins heißen; die Gesamtheit der in einem gegebenen Moment dem Bewußtsein zugänglichen Inhalte ist dann das Blickfeld. Entweder drängt sich ein Inhalt vor den Blickpunkt des Bewußtseins (unvorbereitete, passive Apperzeption, Triebhandlung), wobei wir dem Kommen und Gehen der Perzeptionen zusehen; oder wir stellen selber den Blick auf einen neuen Inhalt ein, lenken das Spiel des Vorstellungsverlaufes (vorbereitete, aktive Apperzeption, Willkürhandlung). Im ersten Falle erfassen wir deutlicher als beim einfachen Fassen der Perzeption, was uns nach den Formen der simultanen und sukzessiven Assoziationen vor das Bewußtsein kommt; im andern Falle rufen wir, indem wir regulierend in den Gang der Assoziationen eingreifen, etwas vor das Bewußtsein, um es schärfer zu besehen, um seiner sicherer, ganz sicher zu werden.

Das Ergebnis der inneren Willenshandlung, wodurch nicht ein Gegenstand, sondern seine Wahrnehmung gewollt wird, das Apperzipierte kann auch Apperzeption heißen. Nach seiner physischen Unterlage, physiologisch ist das Aufmerken und Apperzipieren ein Hemmungsprozeß, ein Vorgang im Gehirn, durch welchen andern psychischen Inhalten als den gewollten der Eintritt in das Bewußtsein, das Überschreiten der Bewußtseinsschwelle, das Klarwerden eines Gefühles, einer Empfindung, Vorstellung, Strebung, gewehrt wird.

Zwar gibt es kein Wahrnehmen ohne etwas, das wahrgenommen werden soll, getrennt von jedem Perzeptionsinhalt; doch kann man die wollende Tätigkeit, die alle unsere Wahrnehmungen zur Einheit verbindet und als die letzte innere Bedingung ihrer Möglichkeit vorauszusetzen ist, die reine Apperzeption, ein reines (leeres) Wollen heißen („transszendentale Apperzeption').

Nun kommen wir zur Hauptsache! Es ist die ‚personifizierende Apperzeption' des ‚mythologischen Denkens', der ‚mythologischen Phantasie', „die Grundfunktion, auf deren verschiedenartiger Betätigung alle mythologischen Vorstellungen beruhen", durch die zuletzt alles religiöse Vorstellen bedingt ist. Wilhelm Wundt soll uns selber die Funktion der personifizierenden Apperzeption schildern, die zwar dem naiven Bewußtsein des Naturmenschen und des Kindes besonders eigentümlich ist, die sich aber, da die wesentlichen Eigenschaften des menschlichen Bewußtseins beharren, niemals gänzlich verliert[1].

Die personifizierende Apperzeption, schreibt Wundt, „besteht darin, daß die apperzipierten Objekte ganz und gar durch die eigene Natur des wahrnehmenden Subjektes bestimmt werden, so daß dieses nicht bloß seine Empfindungen, Affekte und willkürlichen Bewegungen in den Objekten wiederfindet, sondern daß es insbesondere auch durch seinen augenblicklichen Gemütszustand jeweils in der Auffassung der wahrgenommenen Erscheinungen bestimmt und zu Vorstellungen über die Beziehungen derselben zum eigenen Dasein veranlaßt wird. In dieser Auffassung liegt dann von selbst, daß dem Objekt die persönlichen Eigenschaften, die das Subjekt an sich vorfindet, zugeschrieben werden. Unter diesen Eigenschaften fehlen namentlich die inneren des Gefühls, Affekts usw. niemals, während die äußeren der willkürlichen Bewegung und sonstiger menschenähnlicher Lebensäußerungen meist von wirklich wahrgenommenen Bewegungen abhängen. So kann der Naturmensch Steinen, Pflanzen, Kunstobjekten ein inneres Empfinden und Fühlen und davon ausgehende Wirkungen zuschreiben[2]; ein unmittelbares

---

[1] An vielen Orten seiner Schriften und in mannigfach gewundener Art spricht Wundt von der ‚personifizierenden Apperzeption'. Die Darlegung im G r u n d r i ß d e r P s y c h o l o g i e [6] (1904) 367 f scheint uns die faßlichste zu sein. Soviel wir sehen, hat Wundt seine Ansicht seit der ersten Ausgabe 1896 nicht geändert.

[2] Mit dem allerdings herkömmlichen Hinweis auf den ‚Fetischismus' zeigt Wundt, daß seine Hypothese von der ‚personifizierenden' mythenbildenden ‚Apperzeption' durchaus nicht einen objektiv-geschichtlichen Sachverhalt, sondern lediglich seine subjektive Meinung über die Sache beschreibt. Diese Meinung ist aber darum, weil sie in Übereinstimmung steht mit den Meinungen früherer und lebender Schriftsteller, die irrige Ansichten über den Fetischismus gehegt haben und hegen, sicher nicht eine Erklärung der Sache. Vgl. oben S. 120 A. 1.

äußeres Handeln pflegt er aber nur bei bewegten Gegenständen, wie Wolken, Gestirnen, Winden u. dgl. vorauszusetzen. Begünstigt wird dabei in allen Fällen dieser Prozeß durch assoziative Assimilationen, die sich leicht zur phantastischen Illusion steigern können".

Gemeint sind mit den ‚phantastischen Illusionen' solche Vorstellungsgebilde, die durch eine infolge von Hyperästhesie hervorgerufene Steigerung der Empfindungsintensität entstehen, und die sich von den Halluzinationen (Objektivierung reiner Erinnerungsbilder) und von den alltäglichen Sinnestäuschungen (Strahlenfigur der Sterne, ungleiche scheinbare Größe von Mond und Sonne im Zenith und am Horizont) unterscheiden.

Ausdrücklich wird noch hervorgehoben, daß die ‚personifizierende Form' des Apperzipierens nicht als eine normwidrige Abart, sondern als die natürliche Anfangsstufe der Apperzeption zu betrachten sei. Beim Kind in der Gegenwart, bemerkt Wundt, werden die Äußerungen des ‚mythenbildenden Bewußtseins' durch die Umgebung und Erziehung früh ermäßigt und bald ganz unterdrückt. Dagegen wachsen beim Menschen im Naturstand und auf primitiver Kulturstufe die reichgenährten mythischen Vorstellungen des Einzelbewußtseins, indem sie sich unter mannigfachen Abänderungen vom einen zum andern und von Geschlecht zu Geschlecht fortpflanzen, zu Gesamtvorstellungen aus [1].

Wollen wir die Endantwort auf die Frage hören: Wie macht es die Phantasie des Menschen, wenn sie die mythologischen Vorstellungen schafft und aus diesen die geläutertste Form, die religiöse Vorstellung abzieht? — dann entgegnet Wundt mit einer Zergliederung und mit einer Zusammenfassung.

---

[1] Die ‚Gemeinschaftsleistungen', für die, wie wir später hören werden, Wundt die Volksseele' u. ä. Platonismen fordert, beschreibt Fr. Th. Vischer ziemlich anschaulich. „Merkwürdig ist die Art, wie die Phantasie des Volkes schafft. Niemand weiß, von wem ihre Vorstellungen herrühren. Das mythische und sagenhafte Gebilde ist vergleichbar einem Ameisen- oder Bienenwerk. Es wächst nur nach und nach, in höchst langsamem Fortschritt, durch geheimnisvolle Beiträge. In einer gemeinschaftlichen Tätigkeit unerforschlicher Art, rastlos sammelnd, einander zutragend, webend und bauend, haben die Völker endlich ganze Traumgebäude von Dichtungen entworfen, die dann nachher in Künstler- und Dichterhände gelangten. So entstanden die Helden- und Göttersagen" (Das Schöne und die Kunst [3] 220). — Die Berufung auf eine ‚gemeinschaftliche Tätigkeit unerforschlicher Art' ist, was selbstverständlich sein sollte, keine wissenschaftliche Erklärung dessen, was wir den Ausdruck und die Äußerung der nicht individuellen, sondern der gattungsmäßigen Bestimmtheit im Menschen werden heißen müssen. Was Wundt -- und Vischer — in der angedeuteten Richtung vorbringen, sind nur Belege für die Richtigkeit der schon von Doktor Faust vertretenen Behauptung, daß eben dort, wo ‚Begriffe' fehlen, zur rechten Zeit sich ‚Worte' einstellen.

Das eigenartige Wesen der Phantasie bildet den nie fehlenden Einschlag des seelischen Geschehens. Der eine Faktor desselben ist die ‚personifizierende, belebende, beseelende Apperzeption‘. Sie, die eigentliche Tätigkeit der Phantasie, projiziert das eigene Selbst des Beschauers so in das Objekt, daß er sich mit diesem eins fühlt, daß er also sich in dem Objekt und das Objekt in seinem Selbst wahrnimmt. Dieses Tun der Phantasie, wodurch sie in alles das Leben hineinsieht, zu allem das Sichregen des Lebendigen hinzusieht, bricht mit Urgewalt hervor „in der Entwicklung des Mythus, von dem primitiven Seelenkultus an bis zu den mythischen Ausschmückungen, mit denen die Phantasie die Gestalten der geschichtlichen Religionen umgibt". Und nicht bloß in dem umgebenden Rankenwerke, sondern im Inneren der geschichtlichen Religion selbst wirkt das ‚personifizierende Apperzipieren‘, indem es deren Ideen, theoretische, ästhetische, ethische Gedankenbildungen, „in phantasievollen, unter Beihilfe von Mythus und Dichtung entstandenen Symbolen" zum Ausdrucke bringt.

Der andere Faktor im seelischen Geschehen ist ‚die gefühlssteigernde Macht der Illusion‘. Sie spricht sich darin aus, daß bei den einfachsten Phantasiegebilden nicht die objektiven Elemente, die der Anschauung eines Gegenstandes entnommen sind, sondern die subjektiven Momente, die aus der innerlichen Erregung des Beschauers quellenden, wie Lust und Leid, Seligkeit und Qual, Entzücken und Entsetzen, den Ausschlag geben. Unter der Wirkung des Gefühlsmäßigen, das sich selber in der eigenen Wahrnehmung noch verstärkt, werden die Vorstellungs- und Erinnerungsbilder oft nach unendlichen Maßstäben vergrößert, und werden so von der frei kombinierenden Phantasie die wunderbarsten Schöpfungen erzeugt.

Mit den beiden Faktoren im Verein also, den ‚belebenden Apperzeptionen‘ und den ‚illusorischen Gefühlen‘, bringt die schaffende Phantasie des Menschen und der Menschheit die Anschauungen hervor, die für das glaubende Gemüt die höchste Seligkeit und die furchtbarste Qual in sich schließen können, deren ein Menschenherz fähig ist, die Anschauungen des Mythus und die Überzeugungen der Religion[1].

---

[1] Vgl. Völkerpsychologie II 1, 61 ff.

4. Unhaltbarkeit der neuen ‚Mythenhypothese‘.

Auf die psychologischen Konstruktionen, die Wilhelm Wundts Meinung über das mythologische und religiöse Denken bewähren sollen, gehen wir nicht ein. Den entscheidenden Formfehler, demzufolge Wundt das ‚Personifizieren‘ der Dinge durch die menschliche Phantasie unter Beiseitesetzung des Kausalprinzipes ohne weiteres als ein Vergöttern und Vergöttlichen des Personifizierten nimmt, haben wir genannt. Solch ein Verfahren wäre, selbst wenn mit der ‚personifizierenden Apperzeption‘ alles in Ordnung wäre [1], durch diese gewiß noch nicht gerechtfertigt.

---

[1] Die von Wundt begründete Richtung, die ‚Apperzeptions-‘ oder ‚Aktionspsychologie‘, obwohl sie mit Grund betont, daß die reine ‚Assoziations-‘ oder ‚Rezeptionspsychologie‘ außer stand sei, das Auftreten beherrschender Elemente in den Vorstellungsverbindungen ohne eine ordnende, gliedernde, sondernde Willenshandlung zu erklären, wird von den Anhängern des ‚Assoziationismus‘ bestimmt abgelehnt. Ed. v. Hartmann glaubt, daß die Gegner Wundts im Rechte seien; denn die Vorstellungen und Gruppen von Vorstellungen, die durch die Tätigkeit des Apperzipierens über den sonstigen Bewußtseinsinhalt erhoben und zu herrschenden gemacht werden sollen, stehen doch wieder unter den Gesetzen der Ideenassoziation und vermögen nicht mehr zu leisten als jede Vorstellung, die sonst die Assoziation einer andern auslöst. Freilich sei, meint Hartmann auch wieder mit allem Grund, die Assoziationspsychologie ebenfalls nicht in der Lage, die Fülle der psychischen Tatsachen mit ihren Mitteln restlos zu deuten, und sie habe nicht die Kraft, sich des Hinabgleitens in den Materialismus zu erwehren (Moderne Psychologie [1901] 172 ff 425 ff). Soviel ist sicher, daß hier einfach Hypothese gegen Hypothese steht; der Widerspruch der einen gegen die andere ist nicht die Begründung des eigenen Standpunktes, weil konträre Meinungen — sie stehen der ‚Vermögenspsychologie‘ gegenüber — alle zugleich falsch sein können.

Die ernsteren Spielereien, mit denen Wundt (Völkerpsychologie II 1, 19 ff) die „experimentelle Analyse der Phantasievorstellungen“ beginnt, verlieren alle wissenschaftliche, grundlegende Bedeutung, sobald gezeigt ist, daß das ganze Verfahren auf einer unbewiesenen, unrichtigen Voraussetzung beruht. Die ‚pseudoskopischen Täuschungen‘ z. B. der ‚Raumphantasie‘ sollen bewirken,

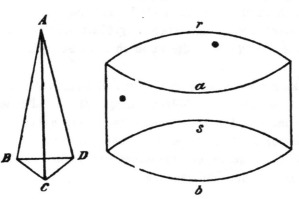

daß die obenstehenden Zeichnungen nicht als ebene Figuren, sondern als körperliche Gebilde erscheinen, die eine als Tetraeder, die andere als Serviettenring etwa. Kein Zweifel besteht, daß solche Zeichnungen, zumal wenn man sie in verschiedene Lagen bringt, sie mit irgendwelchen Merkmalen noch versieht, dem Bau und den Bewegungen

Wundts Annahme ist aber nicht bloß aus formalen Gründen unhaltbar; sie ist aus sachlichen Gründen unmöglich. Darauf haben wir als auf einen Hauptpunkt zu achten. Wir prüfen die metaphysischen Hilfskonstruktionen, die Wundts Religionspsychologie stützen sollen, und zeigen, daß, weil diese unrichtig sind, weil das Fundament schief gelegt ist, der ganze religionswissenschaftliche Aufbau zusammenstürzen muß.

Der Grundirrtum, der Wundts gesamte Weltanschauung verdirbt und ihm eine verkehrte Deutung der Religion in der Menschenwelt eingeben muß, ist die Voraussetzung des Monismus. Wenn Wundt auf

---

unseres Auges entsprechend, den Eindruck von dreidimensionalen Gebilden erwecken können. Allein wann nur und wann nicht? Wer noch niemals ein Tetraeder, einen Ring wie der angedeutete gesehen gehabt hätte, und wer noch in keiner Weise es erfahren hätte, daß wir Körpergebilde durch ebene Figuren mehr oder minder anschaulich darstellen können: würde der ohne weiteres, gleichsam mit optischer Notwendigkeit, die zweidimensionalen Gebilde als dreidimensionale auffassen? Diese Frage müßte offenbar, bevor weitere Schlüsse gezogen würden, erledigt sein. Und die Frage wird zu verneinen sein.

Einen hochinteressanten, des großen Mathematikers würdigen Beitrag zu unserem Problem liefert Leibniz (Nouveaux Essais sur l'entendement humain II 9: De la perception. Edit. Erdmann 233 ff). Der eindringende Denker wiederholt die Frage: Würde man einem Blindgebornen eine kleine Kugel aus Metall und einen Würfel aus demselben Stoff und mit gleichem Gewicht, beide poliert, in die Hand legen, daß er die Körper durch Betastung sicher unterscheiden lernte: vermöchte die Person durch Operation auf einmal sehend geworden, auf Grund der Gesichtswahrnehmung allein, durch die ,Raumphantasie' ohne die Hilfe der Tastempfindungen, anzugeben, welcher der beiden Gegenstände, die der Blinde hat richtig benennen lernen, die Kugel und welcher der Würfel ist? Leibniz meint, auf den ersten Wurf möchte man die Frage bejahen, die der scharfsinnige Locke verneine; nach reiflicher Überlegung könne man freilich nur zu einer bedingten Bejahung kommen. Die Voraussetzung für die Annahme, der sehend gewordene Blindgeborene vermöchte schon und allein durch seine ,Raumphantasie' die beiden in bestimmter Entfernung ihm gezeigten Körper zu unterscheiden, wäre diese, daß er auf Grund der vorherigen Tastempfindungen je ein unterschiedenes Erinnerungsbild des einen und des andern Körpers gewonnen gehabt hätte. Sehr zu beachten ist, daß Leibniz zu verstehen gibt: Zur Lösung von Problemen der empirischen Psychologie ist beides erforderlich, exakte Beobachtung und logisches Denken.

Daß die Fähigkeit unserer ,Raumphantasie', zu den zwei Dimensionen ebener Figuren unter Umständen die dritte Dimension ,hinzuzusehen' (Tiefensehen, stereoskopisches Sehen), irgend etwas für die Meinung beweise, das ,Personifizieren' der ,Apperzeption' sei nicht eben bloß ein Personifizieren, sondern vermöge noch wesentlich anderes und unendlich mehr zu leisten, nämlich das Personifizierte zu vergöttern, zu vergöttlichen: dieser Schluß wäre denn doch zu sehr übereilt, als daß er ernst genommen werden könnte. Der Schluß wäre derselbe, wie wenn ich versichern wollte: Ein Schmetterling, der sich mir, während ich auf einer Bank im Wald ausruhe, hartnäckig auf den roten Schnitt meines Buches setzen will, sobald ich den Schnitt ungefähr in eine wagrechte Lage bringe, hält die rotgefärbte Ebene nicht bloß für ein dreidimensionales Ding, für eine rote Blume, die dem Durstigen Honigseim spenden soll, sondern der Falter verrät mit seiner ,personifizierenden Apperzeption' die ausgesprochene Befähigung für ,mythologisches Denken'! —

die Geschichte des menschlichen Gedankens zurücksieht[1], liest er aus derselben ab, daß der ‚metaphysische Hang' des Menschengeistes, wie sie's geheißen haben, nichts anderes als der Einheitstrieb unserer Vernunft selber ist. Nun wird aber nicht bloß gesagt: „Metaphysik ist der Versuch, eine die Bestandteile des Einzelwissens verbindende Weltanschauung zu gewinnen", ein Versuch, der unternommen wird „auf der Grundlage des gesamten wissenschaftlichen Bewußtseins eines Zeitalters oder besonders hervortretender Inhalte desselben." Es wird vielmehr dem Gedanken von einem einheitlichen Wissen über alles Seiende die Vorstellung von der Einerleiheit des Seienden zugleich mit unterschoben. Und das ist eine Vorstellung, die in dem positiven wissenschaftlichen Bewußtsein keines Zeitalters irgend einen Rückhalt besitzt. Das Einzelwissen irgend eines Menschen und irgend einer Zeit, das niemals auf das Innere und Letzte, sondern stets und überall nur auf das Nächste und Äußere, auf die ‚Erscheinung' geht, weiß nämlich über die Einheit oder die Verschiedenheit zwischen Weltgrund und Weltwesen aus sich ganz und gar nichts. Die spekulative Vorstellung des Monismus aber, die — eine Zugabe der Phantasie zu den Ergebnissen des positiven Wissens — Wahres und Falsches, Gutes und Böses, Gerechtes und Schimpfliches, Schönes und Häßliches, Heiliges und Unheiliges in der ontologischen Wurzel der Prädikate je sich gleichsetzen muß, erscheint doch wohl jedem Denken, dem Ja und Nein in demselben Atemzug und mit Rücksicht auf denselben Inhalt unversöhnbare Gegensätze sind, als der vollkommene Widerspruch.

In der Zulassung des Widerspruches begegnen sich Wilhelm Wundt und Albert Lange. Für Lange bedeutet, wie wir gezeigt haben, die Religion eine ideale Ergänzung der Realwelt, und die Sehnsucht des Gemütes nach der Ergänzung wird uns metaphysisch dadurch verbürgt, daß das All-Eine kraft der poetischen Menschenphantasie sich selber als das allumfassende Ganze anschaut. Die Ergänzung der sinnlichen durch eine unsinnliche Welt will auch Wundt mittels der religiösen Vorstellung bewirkt sein lassen; nur soll die Vorstellung nicht durch die frei schaffende Synthese der dichterischen Phantasie, sondern durch die ‚Apperzeption und Personifikation' der experimentell kontrollierbaren ‚mythologischen Phantasie' zu stande kommen.

---

[1] Vgl. Wundts ‚Metaphysik' in der ‚Kultur der Gegenwart' Teil 1, Abt. 6, S. 103 ff.

Daß bei Wundt wie bei Lange sich alles um den monistischen Un-
gedanken dreht, daß diesem zufolge in dem sich selbst entwickelnden
Naturlauf das menschliche Bewußtsein den „Knotenpunkt" darstellen soll,
in welchem „die Welt sich auf sich selbst besinnt", das zeigen einzelne
Schlagworte, die die Wege zu dem πρῶτον ψεῦδος des All-Einen besonders
grell beleuchten. Wir meinen Worte wie ‚Gemeingeist, Gesamtbewußtsein, Gesamtvorstellung, Gesamtwille, Volksseele‘ und ähnliche Bildungen,
die der Wundtschen Metaphysik und Psychologie nicht ganz eigentümlich,
aber dort bevorzugt sind[1].

I. Monistische Metaphysik. Die Gemeinschaft eines Volkes, entwickelt Wundt umständlich, kann zwar nicht bestehen ohne die einzelnen
Volksgenossen; aber sie entsteht doch nicht bloß aus einer Zusammen-
zählung der Eigenschaften, aus einer Verstärkung der Tätigkeiten, die den
Einzelpersonen für sich zukommen. Die Gemeinschaft stellt vielmehr die
Verbindung und Wechselwirkung der Individuen her, und dadurch bringt
sie zu den Anlagen des Einzelwesens etwas hinzu, ruft sie in diesem neue
Leistungen hervor, die, weil sie vom Sonderleben allein nicht geweckt
würden, Früchte des Gemeinschaftslebens sind. Die bedeutsamsten Gemeinschaftsleistungen sind: die Sprache; die Anfänge der Kunst und der
Religion, die in den ursprünglichen Mythenbildungen vorliegen; die Sitte,
woran sich die ersten Formen von Recht und Gesetz anschließen. Damit
sind die Elemente der ‚Kultur‘ aufgeführt. Sie ist die höchste Gemein-
schaftsleistung.

In der Sprache spiegelt sich die Vorstellungswelt sowohl eines
Menschen als einer Menschengruppe. Die Sprache des Einzelnen, die
sich anfangs in regelloser Wortfolge voran bewegt, ist der Ausdruck
seiner individuellen Empfindungen. Die Sprache vieler ist das Ausdrucksmittel für die gemeinsamen Anschauungen, und sie gibt sich als solches,
als Mittel der Verständigung kund in ihrer Syntax, in der Gesetzmäßigkeit, die aus dem mehr und mehr sich abteilenden Vorstellungs-
verlauf entspringt und die Glieder der Rede in geordneten Reihen zu-
sammenfügt.

Der Mythus stellt die Weltanschauung einer Gemeinschaft einheitlich dar, die sich aus den mannigfaltigsten Wahrnehmungen und den

---

[1] Über die Lieblingsphantasmata Wundts siehe namentlich Völkerpsychologie[2]
1 1 (1904), 7 ff; Grundriß der Psychologie[6] (1904): Die Entwicklung geistiger Gemeinschaften.

an sie anschließenden Phantasieschöpfungen aufbaut. Er versieht die im Sprachvorrate niedergelegten Vorstellungen mit dem gewichtigeren Inhalt. Die Phantasietätigkeit wiegt im Mythus vor. Sie wieder ist hauptsächlich von Gefühlsmomenten getragen, und zwar dermaßen, daß die äußeren Wahrnehmungen meistens nur die Veranlassungen sind, durch welche Furcht und Höffnung, Bewunderung und Staunen, Demut und Verehrung im Innern des Menschen ausgelöst werden. Zuletzt werden in den Gemeinschaften und in ihren Gliedern Dauerstimmungen erzeugt, die sowohl die Richtungen des mythologischen Vorstellens als die — personifizierende — Auffassung der Seinswelt überhaupt bedingen.

Die Sitte endlich umfaßt die den Willensantrieben und Willensäußerungen gemeinsamen Richtungen, die eine Oberherrschaft über die Verschiedenheiten des individuellen Sichgebens und Sichgewöhnens unter den Leuten erringen. Allgemach werden gebieterische Normen aufgerichtet, denen die Gemeinschaft Wert und Geltung für den Einzelnen und für alle zuerkennt.

Hiernach lebt in der Sprache ein Gesamtvorstellen, ein Gesamtbewußtsein, ein Gesamtgeist, der Volksgeist der Sprachgenossen. Im Mythus lebt, von der Gesamtanschauung genährt und diese durchseelend, ein Gesamtgefühl, ein Gesamtempfinden. In der Sitte lebt ein Gesamtwille, eine allgemeine Herrschaftsmacht.

Die vorgeführten Gemeinschaftspotenzen sind nicht ganz begriffen, wenn man sie bloß Gesetze nennt, und wenn man dabei Vorstellungen im Auge hat, wie etwa das ‚soziologische Gesetz der Nachahmung‘ unter den Menschen eine solche ist. Diesem zufolge soll kein einer Gesellschaft angehöriges Individuum vom gewohnten Gang abweichen, etwas irgendwie Auffallendes tun können, ohne daß die Genossen alle dem suggestiven Einfluß unterliegen, den ein ‚unerhörtes‘ Handeln ringsum ausübt. In derlei Weise wird aber ein ‚individuelles‘ Tun nicht ‚okkasionell‘ zu ‚Usuellem‘ führen. Denn der Herr, der da machte, daß das soziologische Gesetz der Nachahmung jeweils in Wirksamkeit träte, wäre der Meister Zufall, der die erforderlichen Auffälligkeiten zu schaffen hätte. Hinter den Erscheinungen, die auf Kräfte der Gemeinschaft deuten, muß vielmehr ein ‚Generelles‘ stehen und wirken. Was ist dieses?

Das Allgemeine, das von Wundt gesucht wird, hat durch die Verbindung vieler Individuen Erzeugnisse zu schaffen, die mehr sind als die leere Summe, welche die Erzeugnisse der Individuen als solche aufzubringen vermögen. Sind doch die Gemeinschaftsleistungen normsetzend und richtunggebend für das Vorstellen, Fühlen und Wollen der Individuen! Folglich müssen sie mindestens ebenso wirklich sein wie das, was durch individuelles Tun hervorgebracht wird. Was also hinter den Gemeinschaftsleistungen stehen muß, ein Allgemeines, ist die ‚Seele‘ der Gemeinschaft. Von den Einzelseelen muß die ‚Volksseele‘ unterschieden werden. Nun sind wir bei dem Credo von Wilhelm Wundt angelangt[1].

„Für die empirische Psychologie kann die Seele nie etwas anderes sein als der tatsächlich gegebene Zusammenhang der psychischen Erlebnisse, nichts, was zu diesem von außen oder von innen hinzukommt.“

Was will das Rätselwort, das in einen schneidenden Gegensatz zu der Vorstellung von der ‚Volksseele‘ zu treten scheint? Ist die Volksseele doch „ein Erzeugnis der Einzelseelen“, aus denen sie besteht! Und sind die Einzelseelen doch „nicht minder Erzeugnisse der Volksseele, an der sie teilnehmen“!

Was will mit den orakelhaft klingenden Wendungen gesagt sein?

Wie der leibliche Organismus des Menschen die äußere Einheit seiner Komponenten, also mehr als jede einzelne derselben, zugleich auch mehr als die bloße Summe aller Komponenten darstellt, so ist die Seele nach Wundt ganz die nämliche Einheit des Menschen, nur von innen her gesehen, die Entelechie, die Aktualität ihres Leibes. Unserer Erfahrung, ohne die uns überhaupt nichts zugänglich ist, erscheint das Äußere, das Objektive, auch der Leib, als ‚Gegenstand‘, das Innere, das Subjektive, die Seele als ‚Ereignis‘. Außen und Innen sind aber nur die zwei Teilmomente der einen Erfahrung; Leib und Seele sind das zweimal aufgenommene Sein derselben Einheit. Erfahrungseinheit ist unsere Seele nicht, weil sie eine substantiell einfache Substanz wäre. Das ist die individuelle Seele nicht; sie ist vielmehr das entwickelte Erzeugnis zahlloser Elemente, die sich selbst haltende, sich selbst zusammenhaltende Tätigkeit und Wirklichkeit, die ‚Aktualität‘ des Wollens, Fühlens und Vorstellens, die, als geschlossener und regelnder Zusammenhang, durch alle Erscheinungsformen des Vorstellens, Wollens und Fühlens stetig hindurch greift. So ist unsere ‚Seele‘ das Erzeugnis all unserer Einzelakte, aus denen sie besteht, und zugleich sind diese wieder Erzeugnisse der Seele, unserer Gesamtaktualität, an der sie teilnehmen.

---

[1] Völkerpsychologie I 1, 9 ff.

Als Einheitsband der Wirklichkeit und Wirksamkeit, als Anlage des
‚Lebensprinzipes‘, das z. B. schon in der kontinuierlich sich selbst
erhaltenden Resistenzenergie des Moleküls zu Tage tritt, ist die ‚Seele‘
mit der Materie überhaupt verbunden, und zwar wird die Seele das Erste,
die Materie wird das Zweite sein, nicht umgekehrt. Das ist der ‚physiko-
psychische Parallelismus‘ in der allgemeinsten, der metaphysischen Form.
In der empirischen Seelenkunde tritt er als die Sonderform des ‚psycho-
physischen Parallelismus‘ hervor[1].

Die Einzelpsyche also gibt sich als das einheitliche Erzeugnis aller
Bewußtseinselemente in einem Menschen kund, wie, ganz parallel dazu,
die leibliche Physis eines Individuums die Einheit all seiner elementaren
Energien ist. Umgekehrt wirkt die Einzelseele, die als entwickeltes

---

[1] Wohl zum Schwächsten und Unfertigsten gehört, was Wundt über den ‚psycho-
physischen Parallelismus‘ zu sagen weiß (vgl. Grundriß der Psychologie⁶ [1904]: „Begriff der Seele“). Ein bißchen anschaulicher, keineswegs aber zuverlässiger als Wundt
äußert sich Hermann Ebbinghaus (‚Psychologie‘ in der Kultur der Gegenwart Teil 1,
Abt. 6, S. 190—195). Daß sich der ‚psycho-physische Parallelismus‘ rettungslos und
hoffnungslos in den Materialismus verliert wie jede ‚Identitätsphilosophie‘, geht grell
hervor aus den Worten: „Seele und Nervensystem — weiterhin Organismus — sind nicht
zwei getrennte und nur äußerlich in Wechselwirkung stehende Parteien, sie sind nur
eine Partei, sind ein und dasselbe Reale, nur dieses einmal so, wie es
unmittelbar von sich selber weiß und für sich selber ist, das andere Mal
so, wie es sich andern gleichartigen Realen darstellt.“ Der Mensch ist somit
ein Wesen, und dieses nennen wir ‚Seele‘, sofern es unmittelbar von sich selber
Kunde hat „als ein unräumlicher, unablässig wechselnder und doch vielfach iden-
tischer Verband von Empfindungen, Vorstellungen, Gefühlen, Wünschen u. s. f.“; und
dasselbe Wesen nennen wir ‚Gehirn‘ und ‚Leib‘, sofern mittelbar durch die Sinne
von ihm Kenntnis gegeben und genommen wird, wobei das Etwas „als ein Aus-
gedehntes, Weiches, Windungsreiches, kunstvoll aus zahllosen Zellen und Fasern Auf-
gebautes erscheint“.

Diese ganze Rede läuft doch auf einen ‚Illusionismus‘ hinaus, auf den Selbstbetrug
eines Menschen etwa, der da wähnt, er wisse, woraus ein Ding und woraus jeder Teil
des Dinges dem Wesen nach besteht, wenn er die Teilstücke nebeneinander gelegt hat;
der da wähnt, er wisse, wie das Ding entsteht, wenn er die Bewegungen des Dinges
nacheinander beschrieben hat. Das ist des alten Spinoza Wahn, der sich eingebildet
hat, daß, weil er Leib und Seele, den ‚modus extensionis‘ und den ‚modus cogitandi‘, als
Dasselbe bezeichnet hat, beide nun auch wirklich Eins und Dasselbe seien. „Unde
fit“, heißt es mit der Naivität vollendeter Selbstgenügsamkeit und Selbsttäuschung in
Spinozas Ethik (III, prop. 2, schol.), „ut ordo sive rerum concatenatio una sit, sive natura
sub hoc sive sub illo attributo concipiatur, consequenter ut ordo actionum et passionum
corporis nostri simul sit natura cum ordine actionum et passionum mentis.“ Die ontologische Kraft des monistischen Behauptens hat ihr interessantes Gegenstück an der
Einbildung der alten Ägypter, deren Könige ihren Verneinungen vernichtende Kraft bei-
maßen. Indem man nämlich an irgend einem Bildwerke den Namen eines gefürchteten
Menschen austilgte, glaubte man, es sei dadurch das Sein des Gehaßten im Jenseits aus-
gelöscht. In vielen Gegenden Afrikas ist das heute noch Volksglaube.

Erzeugnis an der Stetigkeit ihres Tuns ihre Trägerin hat, ähnlich wie der elektrische Strom unterhalten wird von der ununterbrochenen Wechselwirkung der elektrischen Elemente, auf die Bewußtseinselemente wieder mannigfaltig zurück, indem die Weisen des Empfindens, Fühlens und Strebens aus- und umgeformt werden, während das Leben eines Menschen sich entfaltet. Und dasselbe Verhältnis des Gebens und Empfangens wie zwischen den Bewußtseinselementen und der Einzelseele waltet zwischen den Einzelseelen und der Volksseele.

Ein hervorstechendes Merkmal der Volksseele ist ihr stetiges Sichentwickeln, das triebartige Sichregen. Es erscheint am nachhaltigsten in dem Leben eines Naturvolkes; denn dies Leben geht aus der inneren Naturbestimmtheit des Volkes und aus seinen äußeren Naturbedingungen mit einer Art naturgesetzlicher Notwendigkeit hervor. Darum fließt es, im Gegensatze zu dem Wechsel im Leben der geschichtlichen Völker, das unter dem Einfluß emporragender Individualitäten gewöhnlich erregt verläuft, mit relativer Gleichmäßigkeit ab. Den Hervorbringungen der Volksseele, der Sprache, dem Mythus, der Sitte, die kontinuierliche Entwicklungsreihen vorstellen, ist denn auch das Überleben und das Fortleben eigen, während die individuellen Inhaber dieser Besitztümer jeweils und unaufhaltsam untergehen.

Noch mag angefügt sein, daß für die ausgeprägte Eigenheit eines Volkes, insbesondere für die durch eine charakteristische Richtung des Phantasie- und Gemütslebens gezeichnete Art seiner sprachlichen, mythisch-religiösen, künstlerischen, sittlichen Schöpfungen, im Unterschiede von der Bezeichnung ‚Volksseele‘, das Wort ‚Volksgeist‘ zu Gebrauch steht.

II. Haltlosigkeit der monistischen Metaphysik. Wenn an irgend einem Punkte, so machen Wundts Konstruktionen dort, wo sie das ‚Gemeinschaftsbewußtsein‘, das ‚Gesamtvorstellen‘, den ‚Allgemeinwillen‘, die ‚Volksseele‘, den ‚Volksgeist‘ und ähnliche ‚Aktualitäten‘ schaffen wollen, den Eindruck des Inhaltlosen und Haltlosen. Die Geschichte muß ja hinaus auf den ‚Allgeist‘, der die ‚transszendente Einheit von Natur und Geist‘, der absolute ‚Weltgrund‘, der ‚Weltwille‘ — der da ‚Gott‘ ist, und dieser ‚Gott‘ hat sein Wirken in der Weltentwicklung zu entfalten. Die Sonderfaktoren der Wirklichkeit, die Individuen und die Gemeinschaften, haben als ‚Willenseinheiten‘ von geringerem oder größerem Umfang, etwa konzentrischen Kreisen vergleichbar, dem ‚Gesamtwillen' gegenüber, in ihm und durch ihn, ihr Dasein. Doch sind die Realitäten nicht wollende, tätige Substanzen, sondern ‚substanzerzeugende Tätigkeiten‘, gleichwie Gott die Universalrealität, die Universalaktualität ist. Denn ‚soviel Aktualität, soviel Realität‘!

Die angezogenen Wortfügungen weisen auf die schlimmsten Verirrungen hin, welche die Philosophie verwüstet haben, seitdem Heraklit, der Dunkle von Ephesus, die Kunstaufgabe: Das Seiende aus dem Werden darzustellen: πάντα ρεῖ — nicht gelöst, aber dem Denken vorgelegt hat [1].

Sind das nicht Verirrungen? Wird es dem unverbildeten Denken nicht stets als ein keineswegs dunkler, sondern als ein offener und breiter Widersinn vorkommen, wenn die Phantasie der ‚Philosophen‘ wieder und wieder den Anlauf macht, seiende Subjekte dadurch zu erzeugen, daß sie leere Prädikate mittels der ‚personifizierenden Apperzeption‘ in Bündel zusammenschnürt? Ist der Versuch, ein Tätiges aus stetig sich entwickelnden ‚substratlosen‘ Tätigkeiten hervorgehen zu lassen, nicht das unsinnige Unterfangen, das Frühere durch das Spätere, das Sein der Ursache durch das Sein der Wirkung zu setzen?

Es möge doch irgend jemand zeigen, daß etwas Verständliches gesagt und wie das Gesagte zu verstehen ist, wenn Wilhelm Wundt die ‚Seele‘ nicht eine einfache Substanz, sondern einen ‚Hilfsbegriff‘ nennt, der dazu dienlich ist, die Massen der ‚psychischen Erfahrungen‘ in der Einheit eines Bewußtseins zusammenzunehmen! Es möge der Beweis geliefert werden, daß Begreifbares vorgetragen und wie das Vorgetragene zu begreifen ist, wenn Wundt mit den Seinen nicht ein Vorstellendes, ein Fühlendes, ein Wollendes, ein ‚psychisch Erlebendes‘, sondern wenn er das Vorstellen ‚selbst‘, das Fühlen, Wollen, das psychische Erleben ‚selbst‘ als den ‚Träger‘ seines Tuns ausgibt!

---

[1] Λέγει που ‘Ηράκλειτος, ὅτι πάντα χωρεῖ καὶ οὐδὲν μένει, καὶ ποταμοῦ ῥοῇ ἀπεικάζων τὰ ὄντα λέγει, ὡς δὶς ἐς τὸν αὐτὸν ποταμὸν οὐκ ἂν ἐμβαίης. Plato, Kratyl. 402. Wundt nennt Heraklits ‚Weltfeuer‘, das alles Seiende erzeugt und verzehrt, eine ‚kosmologische Dichtung‘, die von den ‚mythologischen Dichtungen‘ der älteren Kosmologen und Theologen durch den „bedeutsamen Umstand" geschieden sei, daß es nach Heraklit „nicht menschenähnliche, die Naturerscheinungen bewegende Götter sind, aus deren Willen und aus deren Schicksalen der Lauf der Welt entspringt, sondern daß die Natur ihr Gesetz in sich selbst trägt". (‚Metaphysik‘ in der Kultur der Gegenwart a. a. O. 109 f.) Die heutige Weisheit geht nun wieder hinter Heraklit zurück, indem sie die Seinsaktualitäten ‚menschenähnlich‘ als ‚Willen, Wollungen, Gesamtwillen, Weltwillen‘ faßt und damit alles Seiende — begriffen haben will.

Ein Generelles, zuletzt ein Universelles hat nach Wundt den Gemeinschaftsbildungen zum Dasein zu verhelfen und durch sie dem Individuellen vorzustehen. Ein Gesamtvorstellen erzeugt die Sprachen; ein Gesamtschaffen und Gesamtfühlen erzeugt die mythischen und religiösen sowie die künstlerischen Urformen; ein Gesamtwollen bringt die Sitte, die ersten Ansätze des Rechtes hervor. Kann man nicht ebensogut noch anderes sagen? Das Gesamtgehen eines Gemeinschaftsfußes, der Gesamtschlag eines Gemeinschaftsherzens, die Gesamtverdauung eines Gemeinschaftsmagens, das Gesamtaussehen eines Allgemeingesichtes, all diese ‚Erzeugnisse' der individuellen Aktualitäten Fuß, Herz, Magen, Gesicht — sind nicht bloß mindestens ebenso wirklich wie die letzteren, sondern sie müssen noch mehr Wirklichkeit besitzen als diese; denn das Generelle, an welchem das Individuelle teilzunehmen hat, muß ja diesem die Norm und Regel und die Richtung verleihen, in der es sich betätigen soll. Warum soll man in Bezug auf das Physische nicht ebenso sinnreich reden dürfen, wie in Bezug auf das Reich des Psychischen? Warum soll das schöne Wort vom ‚psycho-physischen Parallelismus' ein bloßes Bild bleiben? Die vorgeschlagenen Reden wären so gut Wissenschaft, wie es eine wissenschaftliche Antwort ist, wenn ich auf die Fragen: Was ist das Physische? was ist das Psychische? wodurch unterscheiden sich Physisches und Psychisches? — den tiefsinnigen Aufschluß erhalte: Die beiden gehen nebeneinander her!

Wundt legt einmal ernstlich eine Verwahrung ein[1]. Früher habe man, z. B. in den Zeiten, da die menschliche Gesellschaft aus einem Staatsvertrag u. ä. abgeleitet wurde, die Gemeinschaft überhaupt nicht als etwas Ursprüngliches und Natürliches, sondern als eine willkürliche, zu Nützlichkeitszwecken gemachte Vereinigung einer Summe von Individuen angesehen. Und der Gelehrte klagt, heute noch müsse, wer in den Gemeinschaften mehr als Willkür, wer in ihnen, auf Grund ihrer Leistungen, „die tatsächliche Übereinstimmung und die tatsächliche Wechselwirkung" nicht zusammengestellter, sondern generell zusammengehöriger Individuen erkenne, sich gegen die „gröbsten Mißverständnisse" wehren. Denn man pflege hinter den Gemeinschaftsaktualitäten — ihre Erzeugnisse bilden die Gegenstände der neubegründeten ‚Völkerpsychologie' — „ein mythologisches Wesen oder mindestens eine metaphysische Substanz" zu wittern.

---

[1] Grundzüge der Psychologie [1] 362.

Die Verwahrung trifft nicht. Denn wenn der ,Volksseele' für sich Wirklichkeit zukommt, und zwar mehr als den Einzelseelen, weil sie mehr als diese zu wirken hat: weshalb soll man da nicht an die Astralgeister gewisser platonisierender Aristoteliker denken dürfen, an die Intelligenzen, die sich auch mit den vieldeutigen Worten ,Entelechien', ,Aktualitäten' der Himmelsbälle bezeichnen lassen mußten, und welche die stetigen Bewegungen der Gestirne zu ,beseelen' hatten? [1]

In der Tat! Wenn man auf den letzten metaphysischen Grund sieht, dann ist Wilhelm Wundts Weltanschauung nichts weiter als Monismus in der Form eines verkümmerten Platonismus. Es wird ein Allgemeines, eine umfassende Aktualität hinter, über der empirischen Wirklichkeit, jenseits von ihren Einzelfaktoren gedacht, das All-Eine, das einesteils Erzeugnis aus der Summe der Faktoren, andernteils die Triebkraft, der tragende, nährende, leitende ,Gesamtwille' ihrer Aktualitäten ist.

Der Verstand kann die Phantasmagorie des All-Einen, das auch in den Willenshandlungen des Menschen, zumal in seiner ,mythologischen, belebenden, personifizierenden Apperzeption' tätig sein will, nicht anders denn als eine Ungeheuerlichkeit ansehen. Oder läßt sich der Versuch, der den Denkfehler des Ὕστερον πρότερον zum ontologischen Urprinzip erheben will, anders denn als Ungeheuerlichkeit bezeichnen?

Wer der alten, der natürlichen Logik folgt und das Unterfangen, einem Denkfehler metaphysisches Seinsrecht zuzusprechen, als die Sünde der Denkwidrigkeit behandelt, der wird sich kaum länger bei Wilhelm Wundt und bei seiner Kunst aufhalten, welche die religiösen Vorstellungen des Menschen und im Menschengeschlecht aus der ,personifizierenden Apperzeption' der menschlichen Phantasie hergeleitet haben will. Wer aber in Wundts monistischen Konstruktionen Wissenschaft, die Wissenschaft vom Ursprung und Wesen der Religion sieht, der mag sich nicht wundern, wenn er gewahrt, daß der Spott kecker Poetenlaune gerade diese Art von Wissenschaft zum Ziele nimmt.

Die vorgeführte Erklärung über den Ursprung der religiösen Vorstellungen zählt wohl zu den Wissenschaften, an denen „die Mehrzahl der

---

[1] Vgl. Thomas, S. th. 1, q. 79, a. 10: In quibusdam [Philosophi] libris de arabico translatis substantiae separatae, quas nos angelos dicimus, intelligentiae vocantur, forte propter hoc, quod huiusmodi substantiae semper actu intelligunt; in libris tamen de graeco translatis dicuntur intellectus seu mentes.

Nation teilnahmslos vorübergeht und mit einem Blick zum blauen Himmel ihrem Schöpfer dankt, daß sie nichts davon zu lesen braucht"[1].

Schluß.

Ludwig Feuerbach, Friedrich Albert Lange und Wilhelm Wundt sind wohl die drei namhaftesten deutschen Kritiker neuerer Zeit, welche die religiöse Vorstellung aus der Phantasietätigkeit des Menschen herzuleiten versucht haben. Die Männer wollen die gesamte Haltung des religiösen Gemütes und seinen ganzen Inhalt — der neunzigste Psalm nach der Weise ‚Wer in dem Schutz des Höchsten wohnt, am Herzen des Allmächtigen ruht‘ schildert die Religiosität und das Wesen der Religion mit unnachahmlicher Innigkeit — auf die Einfälle einer kranken Phantasie oder auf die Eingebungen der dichterischen Phantasie oder auf die Unterweisungen der experimentell kontrollierbaren Phantasie stellen. Von dem Beginnen wird zu urteilen sein: Mag es um Ursprung und Wesen der Religion stehen, wie es will, auf den angedeuteten Wegen, die in den Abgrund der monistischen Alogie führen, kann eine Lösung der Fragen, der Lebensfragen für den Geist und das Herz des Menschen, keinesfalls gefunden werden.

Eines ist klar und unwidersprechlich. Wenn es gilt, die Gedanken, Strebungen und Gefühle des Menschengeistes zu fassen, die sich mit dem Höchsten beschäftigen, die auf den Allerhöchsten gehen, den Inhaber aller denkmöglichen Vollkommenheiten, auf das Wesen, das die Menschenrede mit dem Namen Gottes nennt[2]; wenn es gilt, Vorstellungen zu bilden vom Göttlichen, vom Sein und von der Persönlichkeit Gottes,

---

[1] So heißt es bekanntlich im Vorworte zu Scheffels ‚Ekkehard‘, wo in Bezug auf die „Formeln und Schablonen naturgeschichtlicher Analyse" — wir können beifügen: in Bezug auf die ‚apperzeptive Analyse der mythologischen Phantasie‘ — die Behauptung gewagt ist: „In einem Steinkrug alten Weines ruhe nicht weniger Vernunft als in mancher umfangreichen Leistung formaler Weisheit." — Die Philosophie hat übrigens schon einmal ihrer Würde vergeben, damals nämlich, als sie sich erboste, daß „Viktor Scheffel durch sein Lied ‚Guano‘ (auf Unkosten Hegels) den Mob ergetzte, bubenhaft, wie dieser in dem beschränkten Umfang seines Talentes wohl begabte Poet stets war und geblieben ist" (Kuno Fischer, Hegel 1183).

[2] Vgl. Vaticanum: „Sancta Catholica Apostolica Romana Ecclesia credit et confitetur, unum esse Deum verum et vivum, creatorem ac dominum coeli et terrae, omnipotentem, aeternum, immensum, incomprehensibilem, intellectu ac voluntate omnique perfectione infinitum: qui, cum sit una singularis, simplex omnino et incommutabilis substantia spiritualis, praedicandus est re et essentia a mundo distinctus, in se et ex se beatissimus et super omnia, quae praeter ipsum sunt et concipi possunt, ineffabiliter excelsus."

von seinem Wirken nach außen, dann auch vom Verhalten des Endlichen zum Unendlichen; wenn die Vorstellungen weiterhin in Darstellungen umzuwandeln und wenn für das Darzustellende Sprachzeichen zu schaffen sind: da muß die Phantasie, die Gestaltungskraft
der Menschenseele in Tätigkeit versetzt werden. Hierbei spielt aber die
Bildungs- und Einbildungskraft der Seele bloß eine dienende, nie die
führende Rolle. Es ist dieselbe Rolle, welche die Phantasie vertritt bei
der ersten Formung eines Sinneneindruckes, bei dessen Ausformung
zur Sinnenempfindung, bei deren Umformung in die Vorstellung, bei
deren Überformung in die Anschauung, bei deren Übertragung in den
innerlichen Ausdruck (verbum cordis, mentis), bei dessen Übersetzung
in die sinnlich wahrnehmbare, hörbare, sichtbare Bezeichnung (verbum
gestus et oris, verbum scriptum)[1].

Das Fassen, Auffassen, Erfassen irgend eines Elementes in unserem
Bewußtsein, ob das Element dem vorstellenden oder dem strebenden
oder dem in sich selbst regsamen, dem fühlend-wertenden Tun der Seele
zugehören mag; sodann das Zusammenfassen vieler Elemente zur Einheit; ferner das gliedernde und zergliedernde, das beziehende und ver-
gleichende Ordnen vieler Einheiten; endlich das Vorlegen und Zerlegen
der Anschauungseinheiten zum Zwecke der Beurteilung im begrifflichen
Denken, Folgern und Schließen, im Wahrnehmen, Schätzen und Ent-
schließen: all dieses, die gesamte Tätigkeit unseres Vorbewußtseins,
unseres Bewußtseins, unseres Erinnerns, ist durch die Macht und Wirksamkeit der Phantasie bedingt und wird von ihr bestimmt.

Der Stoff, auf den die Phantasie angewiesen und ohne den sie
arbeitsunfähig ist, wird ihr durch die Beobachtung und Wahrnehmung
zugeführt. Die Summe der Wahrnehmungen und Beobachtungen ist
entweder die persönliche Erfahrung, die jeder Mensch selber macht und
in welcher der Einzelne lernt; oder sie ist die Erfahrung, die von vielen
gemacht ist und dem Einzelnen übermittelt wird, die Geschichte, aus
der alle lernen sollten. Dabei kann ein bestimmter Gegenstand oder

---

[1]
O Wunder sonder gleichen, wie im Laut
Sich der Gedanke selbst das Haus gebaut!
O zweites Wunder, wie dem Blick die Schrift
Den Schall versinnlicht, der das Ohr nur trifft!
Nicht Willkür schuf das Wort, sonst wär' es hohl:
Es ist des Geists notwendiges Symbol.

Emanuel Geibel.

ein bestimmtes Ereignis in der Natur, eine eigenartige Persönlichkeit oder ein einzigartiges Geschehnis in der Geschichte ein außerordentlich empfängliches Gemüt außerordentlich stark ansprechen. Hierdurch kann eine außergewöhnlich lebendige Phantasie mehr als gewöhnlich angeregt, kann sie angefeuert werden, das ihr Gebotene zu verarbeiten, es mit früheren Bewußtseinsinhalten aufs mannigfaltigste zu verknüpfen und die neugewonnenen Verbindungen von Vorstellungen, Gefühlen, Willens-handlungen in beseelten Gestalten vorzuführen, in denen das Herrlichste von allem Bekannten lebt, und die doch Fremdlinge sind aus einer andern Welt. Es sind das die Idealgestalten der dichterischen Phantasie, und diese bildet ihre Erzeugnisse aus dargereichtem Stoff unter der Ein-wirkung der künstlerischen Inspiration, begeistert, geleitet und bereichert durch die Offenbarungen des Genius.

Hier ist auch der Zugang offen für das Einströmen des Lichtes in die menschliche Phantasie, von dem Dante redet im Sinne der theistisch-christlichen Weltanschauung. Der Sänger und der Seher versteht darunter die religiösen Offenbarungen, die Inspirationen einer ,höheren Führung', die vom Himmel her den Vertrauten der Gottheit zu teil geworden[1]. Über das Wesen dieser Inspiration, der übernatürlichen, hat die Theologie zu unterrichten. Sie zeigt, daß die vom Gottesgeist erleuchtete Phantasie des Propheten ebensowenig als die Einbildungskraft des gottbegnadigten Künstlers[2] aus dem Nichts etwas zu erschaffen befähigt ist. Der Prophet entnimmt seine Gestalten und Zeichen, wenn auch nicht das zu Be-zeichnende, den ,mystischen Sinn des heiligen Wortes', dem Umkreis dessen, was von der Natur, was in der natürlichen Erfahrung bereit-gestellt ist, ebenso wie der ,freischaffende' Dichter.

In zweierlei Hinsicht vermag die Phantasie ihrem Arbeitsstoff etwas beizugeben. Einmal kann sie Lücken ausfüllen, welche die Wahrnehmung des Wirklichen offen gelassen; unvollständige Wahrnehmungen kann die Einbildungskraft ergänzen. Sodann ist die Phantasie im stande, mittels ihrer Gebilde, durch Vorstellungen und in Darstellungen, die Wirklichkeit für das geistige Schauen zu vertreten, zu ersetzen.

Das Ausfüllen von leeren Stellen, das Ergänzen von Fehlendem muß sinngemäß und sachgemäß sein. Eine Lücke in, eine Unfertigkeit

---

[1] Dante, Divina Commedia: Purg. 17, 17 (Motto dieser Abhandlung).
[2] Ἐνθουσιασμός, θεία μανία, divinus afflatus; ἔρως, οἱ σοφίᾳ πάρεδροι ἔρωτες. Vgl. Plato, Symposion; Appuleius, Amor und Psyche.

an der sinnlichen Wahrnehmung muß nach der Richtung hin beseitigt werden, in welcher die vorhandenen Teilstücke von selber zeigen; die Vollendung muß an den Punkten an- und eingreifen, wo das Vorliegende über sich selbst hinausweist. Geschieht alles, wie Sinn und Sache fordern, dann rundet die Phantasie das ihr Dargebotene ab, dann ‚idealisiert‘, erhöht und verklärt sie das Wirkliche.

Geraten die Phantasiezugaben mit dem sinnlichen Erfahrungsstoffe, wie er vorliegt, weiterhin mit den Gesetzen, die im Stoffe regieren und die für das denkende Bearbeiten des Stoffes vorgeschrieben sind, vor allem mit den Gesetzen der Identität und der Kausalität in Widerstreit, dann werden die Zutaten ungenau, schief, unrichtig, unmöglich.

Solange der Widerspruch zwischen der richtig wahrgenommenen, der richtig gedachten Wirklichkeit und der Phantasieanschauung unschädlich ist, sind die eingebildeten Beifügungen harmlos. Sie können sogar, wobei freilich wieder sinn- und sachgemäße Gründe, wenn auch außerhalb der Gegenstände befindliche, wirksam werden müssen, von hohem künstlerischen und sittlichen Werte sein. Die Werke des Witzes, des Humors, der Ironie, der Satire sind Zeugnisse dafür.

Tritt dagegen der Widerspruch zwischen Wirklichkeit und Phantasie als etwas Lästiges, Drückendes, Bedrohendes, Gefährliches hervor, dann sind die eingebildeten Beifügungen als unstatthafte gekennzeichnet. Sie sind Verzerrungen, Verkehrungen, Fälschungen; sie verursachen Trug und Täuschung, Irrung und Verführung; kurz, sie fallen und treiben in den Fluch der Unwahrheit hinein, wie sie dem Übel der Unwahrhaftigkeit entsprungen sind.

Am augenfälligsten läßt sich beides, nämlich die Rolle, welche die Phantasie bei der Deutung der Wirklichkeit zu spielen hat, und die Rolle, die sie niemals spielen darf, an der Sprache klar machen, und zwar mittels der Redeteile, die in der Grammatik recht unbestimmt die ‚Partikeln‘ heißen. Greifen wir aus diesen die ‚Präpositionen‘ heraus, dann die Lautformen, die eine Verbindung oder Teilung, eine Gleichsetzung oder Entgegensetzung der Vorstellungen und des Vorgestellten angeben! Es versteht sich von selbst, daß die gemeinten Sprachmittel Zugaben der Phantasie zu der Welt der Wirklichkeit sind, Beifügungen, durch die sich der auffassende, urteilende, beurteilende Geist des Menschen in der Wirklichkeit zurechtfinden will, durch deren Anwendung der Mensch zu der Wirklichkeit und in ihr Stellung nimmt.

Oder ist das ‚Vor‘ und ‚Nach‘, das ‚Zwischen-, Neben- und Hinter-
einander‘ ein Seiendes für sich, außer, über, unter den Seienden? Wär’
es nicht eine Lächerlichkeit, wollte jemand von einer objektiven ‚Undheit,
Aberschaft, Oderkeit‘ u. ä. reden? Und läuft es nicht auf dieselbe
Lächerlichkeit hinaus, wenn man mit Plato von den ‚Ideen‘ der Gleichheit
und Ungleichheit, der Geradheit und Ungeradheit, der Einstimmigkeit und
des Gegensatzes, der Bedingtheit und Unbedingtheit usf. sprechen und
wenn man unter diesen Ideen Realia verstehen wollte, die als höhere
Wirklichkeiten den Sinnendingen vorgeordnet, übergeordnet sein sollten?
Hat es einen Sinn, zu sagen, durch die ‚Nachahmung‘ der Idee ‚Geradheit‘ werde einer Linie das Geradesein beigegeben?

Machen wir die Anwendung! Wenn die Zugaben der Phantasie,
durch die wir uns mittels der Präpositionen, Konjunktionen, der Partikeln
überhaupt die Wirklichkeit der Dinge deuten, uns untereinander über die
Welt des Seienden verständigen und die Richtigkeit unserer Gedanken
über das Wirkliche dartun, erhärten, beweisen wollen, wenn diese Zugaben anders sind und ein Anderes enthalten, als die Wirklichkeit der
Dinge besagt, als ihre Gesetzmäßigkeit und Ordnung fordert: alsdann sind
sie Wahn und Trug, Täuschung und Aberglaube, Verkehrtheit und Irrtum.
Und wenn in einer gedachten Wirklichkeit solche Phantasiezugaben vorkommen, die nach den Gesetzen der wirklichen Wirklichkeit wie nach
den Gesetzen des Denkens unmöglich sind, dann liegen mindestens
Phantastereien, Nichtigkeiten vor.

Wissenschaftliche Wahrheit hilft uns die Phantasie mit ihren Zugaben,
den Deutungs- und Ausdrucksmitteln der Sprache, nur erringen, wenn
sie die reale Ordnung des Seienden uns abbilden hilft. Und dichterische
Wahrheit wird nur geschaffen, die poetische Gerechtigkeit kommt nur
dann zu ihrem Rechte, wenn die Kunstwerke, wenn die Ideale nach der
Natur und nach deren unverrückbaren Gesetzen gebildet, und wenn sie
innerlich (logisch, sittlich) möglich sind.

Das alles ist, nach der noetischen Seite, mit unnachahmlicher Kürze
im Eingange des Predigerbuches ausgesprochen, wenn es dort heißt: „Alle
Weisheit ist vom Herrn, von Gott: mit ihm war sie alle Zeit; sie ist vor
der Weltzeit.“ Das will sagen: Die Weisheit, der Inbegriff dessen, worauf
‚die Erkenntnis der Wissenschaft‘ geht, ist über alles Gemachte erhaben.
Die Wahrheit, die ‚Weisheit Gottes‘ ist vor allem Bilden, Einbilden,
Aus- und Umbilden durch die menschliche Auffassungskraft. Die Wahr-

heit ist früher als die Zeugungs- und Gestaltungskraft des Menschengeistes; sie ist der Wesensinhalt des unendlichen Denkens und das Urbild für alles endliche Denken[1].

Es bedarf keines weiteren Beweises, daß allein die aus dem natürlichen Rohmaterial geformten, die richtig idealisierenden und richtig idealisierten Phantasiegebilde taugliche Ersatzmittel, Repräsentationen in Worten, Begriffen, Urteilen, Urteilsverkettungen, Systemen, für die Auffassung, das Verständnis, die Bewertung des Wirklichen und seiner Wahrheit sein können. Hat ein Mensch nicht, was Goethe verlangt, „eine Phantasie für die Wahrheit des Realen", dann ist seine Phantasie verwerflich. Eine zügellose Phantasie, die sinn- und sachwidrige Willkürmacht ist für den Besitzer selber die verhängnisvollste Gabe, für die Umwelt ein gefährliches, das bösartigste Gift[2].

Und jetzt das Entscheidende! Wenn es sich handelt um die Fragen nach den letzten Gründen, nach dem inneren Gehalt und nach dem Endzwecke des Wirklichen; wenn es sich handelt einerseits um die wissenschaftliche, anderseits um die religiöse Beurteilung der Welt; wenn es die ‚wissenschaftlich-religiöse Weltanschauung' gilt: da kann die Phantasie nicht untätig abseits stehen. Die Sinne gehen nur auf das Einzelne und das Nächste, nicht auf das Allgemeine und das Letzte, nicht auf das Wesen und das Höchste, mit einem Worte, nicht auf den Inhalt einer Gesamtanschauung[3]. Das positive Wissen in seiner Gesamtheit ist aus sich allein unvermögend, den spekulativen, den philosophischen, den

---

[1] Vgl. Sir 1, 1 ff. Sehr bezeichnend sind die Zusätze der lateinischen Übersetzung, z. B. gleich zum ersten Vers: (omnis sapientia) „est ante aevum"; dann Vers 5: „Fons sapientiae verbum dei in excelsis, et ingressus illius mandata aeterna." Der Gegensatz zu der Phantasmagorie jedes ‚Relativismus' und des falschen ‚Evolutionismus' kann nicht schärfer und nicht schöner ausgesprochen werden.

[2] „Es gibt wenige Menschen, die eine Phantasie für die Wahrheit des Realen besitzen; vielmehr ergehen sie sich gerne in seltsamen Ländern und Zuständen, wovon sie gar keine Begriffe haben und die ihre Phantasie ihnen wunderlich genug ausbilden mag." Vgl. dazu: „Wenn durch die Phantasie nicht Dinge entständen, die für den Verstand ewig problematisch bleiben, so wäre überhaupt zu der Phantasie nicht viel. Dies ist es, wodurch sich die Poesie von der Prosa scheidet, bei welcher der Verstand immer zu Hause ist und sein mag und soll." Eckermann, Gespräche mit Goethe (Reclam) I 168 262.

[3] Vgl. die Schulaxiome: Ratio est universalium, sensus vero particularium; sensus cognitio est singularium; sensus non est cognoscitivus nisi singularium. Hierüber und über das aristotelische Wort: αἰσθάνεται μὲν τὸ καθ᾽ ἕκαστον. ἡ δ᾽ αἴσθησις τοῦ καθ᾽ ὅλου ἐστίν, οἶον ἀνθρώπου, ἀλλ᾽ οὐ Καλλίου ἀνθρώπου — vgl. des Verfassers Abriß der Noetik (1897) 163 ff.

religiösen Problemen näher zu treten. Und doch sind und bleiben sie
die Fragen, denen sich das dauernde Interesse des Menschengeschlechtes
zuwendet. Denn von der Antwort auf die Fragen hängt die Hoffnung
aller auf das Sein, hängt die Furcht aller vor dem Nichtsein ab.

Nun hat die Phantasie die Hüllen auch der Begriffe zu spinnen,
die Kleider auch für die Ideen zu weben, die dem Verstandesdenken,
die der Vernunft es ermöglichen sollen, in das Reich des Übersinnlichen, der reinen Wesenheiten, des Ewigen, des Unendlichen, in das
Licht des Göttlichen und Gottes Blicke zu tun. Wie die Phantasie hier,
an der Grenze zweier Welten arbeitet, kann wahrlich nicht gleichgültig sein.

Ist der Traum die Dichtung eines Schlafenden, ist die Dichtung der
Traum eines Wachen, so kann die Phantasie sei es eines schlafenden
sei es eines wachen Träumers am allerwenigsten dort Raterin oder Führerin
sein, wo ein Fehlgang Folgen haben muß, die für die Ewigkeit sind.
Zutaten der Phantasie, die, Träume der Sehnsucht oder Furcht, dem
Wunsche, der Hoffnung, der Angst eines ratlosen Herzens entsprungen
sind, oder gar leer willkürliche Ersinnungen, die das Natürliche ver-
menschlichen, das Menschliche vergöttlichen und das Göttliche wieder
in die Schranken der endlichen Personifikation einsperren — derlei
Phantasiemittel sind in keiner Weise tauglich, Vorstellungen zu entwerfen,
die gestatten könnten, Gedankenbilder für die hinter der Wirklichkeit
gesuchten Gründe der Wirklichkeit, für den letzten Grund und das
höchste Ziel alles Seienden vorauszunehmen. Kurz, die sogenannten
‚freien Phantasien‘, die Vorstellungen, die einem nicht sach- und sinn-
gemäßen Phantasieren entstammen, können sich niemals eignen, aus dem,
was in der geordneten Erfahrung gegeben und was im Kreise des
Erfahrbaren durch geordnetes Denken festgestellt ist, eine Weltanalysis
zu zeichnen, um mittels dieser schritt- und schlußweise auf das Etwas
zu kommen, das hinter und über dem Gegebenen, das jenseits der
empirisch greifbaren Wirklichkeit waltet.

Immer und überall muß in Bezug auf die Hilfslinien, welche die
Phantasie zur Fassung des Wirklichen und zur vorläufigen Vergegen-
wärtigung dessen zieht, was über dem Sinnlichen wirklich und wirksam
ist, unerbittlich gefragt werden: Ist die Dreingabe gestattet vom Gegebenen?
wodurch ist sie gefordert? inwiefern ist sie berechtigt? woraus erhellt
ihre Notwendigkeit? Diese Fragen aber und die Entscheidungsfrage:

Liegen erlaubte, mögliche, notwendige Annahmen vor, erlaubt, möglich, notwendig auf Grund dessen, was gegeben und was vom Gegebenen unmißdeutbar bekannt und unbezweifelbar erkannt ist, oder stehen leere, nichtige Einbildungen zur Schau? — diese Fragen können durch die Tätigkeit wieder des bloßen Einbildens niemals erledigt werden. Und noch weit weniger lassen sich die Fragen aus den für sich völlig ziellosen Strebungen und Gegenstrebungen des Willens, aus den ratlosen Stimmungen, aus den inhaltslosen Ahnungen des Gemütes, aus den für sich blinden Wünschen, Neigungen und Bedürfnissen des glaubenswilligen Herzens, aus einem ‚Bedürfnisglauben' heraus erledigen. Hat man es doch hier mit den für sich irren Trieben und Antrieben zu tun, die das Schaffen der Phantasie anzuregen, zu bestimmen suchen und die, da sie nach allen Richtungen drängen, keine Richtung zu halten vermögen!

Es handelt sich in den letzten Fragen wie bei allen Fragen der Erkenntnis nicht darum: Was scheint? was gefällt? was könnte wohl, was sollte sein? Es handelt sich um die eherne Frage: Was ist? was muß sein? was ist und war überall? was war immer und wird immer sein? Darum ist die Phantasie mit ihren Verbündeten, die aus der Gegend des Herzens kommen, völlig außer stande, der religiösen Vorstellung, dem Glauben an Gott und Göttliches Inhalt und Dasein, seienden Inhalt und inhaltsvolles, wahres Dasein zu geben.

Petronius' Wort bei Statius[1]: „Primus in orbe deos fecit timor" spricht eine bedeutsame Wahrheit aus. Durchaus falsch aber wäre der Satz: „Primus in orbe Deum fecit timor." Die Phantasie ist immer Hörige des Herzens und niemals rechtmäßige Herrin des Kopfes. Zwar hat sie im Dienste des logischen Denkens die Sprachzeichen zu schaffen und sie in Begriffszeichen umzuschaffen; aber den Begriffsinhalt kann sie nicht erzeugen. Auch den Gottesgedanken, der nur in der Einzahl seinen göttlichen Sinn hat, bringt keine Einbildungskraft hervor. Dagegen kann die Phantasie, vom irren, wirren Herzen mißleitet, wohl in die Lage kommen, Götter zu erfinden, das Göttliche des Unendlichen, indem sie es sinnwidrig in eine Vielheit zerteilen hilft, zu fälschen.

Und die Phantasie hat, indem sie, dem Verstande zum Trotz, dem Menschenherzen seine ‚Götter' gab, sich als eine weltgeschichtliche Macht bewährt. Das hat kein Geringerer als Sankt Paulus für alle Zeiten

---

[1] Statius, Thebais 3, 661.

gültig erwiesen [1]. Der Apostel bedurfte dazu keiner tiefgelehrten Untersuchung. Er hatte nur die Wahrheit zu nennen, die von keiner Gelehrsamkeit beseitigt wird, und welche der Einfalt des lautern Gemütes, sowie
sie ihm aufleuchtet, einleuchtet.

Es ist die Wahrheit vom Denkgesetz und vom Seinsgesetz des
Grundes. Mit Verletzung des Gesetzes gelingt es der Phantasie, einen
Götterhimmel, einen Götterglauben zu schaffen. Den Gottesglauben,
der nicht aus ihrer Willkür kommt, vermag die Phantasie nicht zu
schaffen, aber auch nicht abzuschaffen. Der Altar des wahren Gottes,
und ist er für Millionen der unbekannte Gott, ist ein einziger und wird
von keinen Götterlegionen gestürzt, so gewiß als das Denkgesetz des
Grundes, das auf den einen Urseienden als den einen Seinsurheber
führt, von der Phantasie wohl verkannt, nicht aber vernichtet werden kann.

------

[1] Vgl. Röm 1, 21 ff; dazu Ps 105, 20; Jr 11, 10, namentlich Weish 13, 1 ff; 14, 14 ff.
— Eduard Lehmann („Die Anfänge der Religion und die Religion der primitiven Völker‘
in ‚Kultur der Gegenwart‘ Teil 1, Abt. 3, 1 [1906], S. 1—8) zählt zwei Haupttheorien
auf über die Anfänge der Religion: Die kirchliche Theorie, nach welcher das Heidentum
die Degeneration eines ursprünglich Vollkommenen ist, und die Evolutionstheorie,
nach welcher der Gang der Religion von unten nach oben führt, eine Läuterung der
heidnischen Niedrigkeit empor zum Ideale der Vollkommenheit darstellt. „Paulus, dem
es oblag (!), das Christentum, das er zur Weltreligion erhob, auch in welthistorische Be-
leuchtung zu stellen, hat ein Bild von der Entwicklung des Menschengeschlechtes gezeichnet, das, obgleich es im Alten Testament schon andeutungsweise vorlag, an sich
bedeutsam genug ist, ihm unter den schöpferischen Geistern der Geschichte einen Platz
zu geben. Denn seine historische Theorie, von Augustin dann weiter ausgestaltet und
von der katholischen wie von der protestantischen Kirche festgehalten, hat auch außerhalb der Theologie bis auf den heutigen Tag bedeutende Nachwirkungen gehabt.“ Richtig
aber kann selbstverständlich nach Lehmann die paulinisch-augustinisch-kirchliche Theorie
nicht sein. Und warum nicht? Nun, weil eben die ‚Evolutionstheorie‘ richtig sein muß,
wie die Prähistorie, der Folklorismus, die Ethnographie, die Sprachgeschichte usf. aus-
zuweisen haben. Dabei bemerkt aber Lehmann zuvor, eigentlich habe man es in Sachen
der Anfänge lediglich mit ‚Vermutungen‘ zu tun. „Denn um ein Wissen handelt es sich
auf diesem Gebiete heute so wenig wie ehedem. Kein Denkmal, keine Tradition, ge-
schweige denn irgend eine heilige Schrift geht in die Vorzeit so weit zurück, daß sie
uns davon erzählen könnten. Auf keiner goldenen Säule im Arabischen Meere ist die
Entstehung der Götter verzeichnet, wie es Euemeros zur Zeit Alexanders dichtete, noch
etwa steht sie in dem indischen Rig-Veda zu lesen, wie Max Müller es sich vorstellte.
Erdichtete Anfänge freilich gibt es genug: wo das Wissen fehlt, wuchern die Hypothesen.
Jedes Zeitalter hat seine Mutmaßungen; immer jedoch sind sie genau nach den Lieblings-
ideen des Zeitgeistes gebildet.“

Ist das richtig — und wir zweifeln keinen Augenblick daran, daß unser Verfasser
seine Worte selbst für richtig hält —, wenden wir dann die richtigen Bemerkungen auf
Lehmanns eigene, zum Teil ganz dreiste Behauptungen an, dann können diese auf sich
beruhen bleiben. Wir dürfen, von den Hypothesen nicht weiter behelligt, mit St Paulus
und mit — der Wahrheit gehen.

Die Abgötter, Mißbildungen auf dem Boden des religiösen Vorstellens, sind Kinder der Phantasie. Vom richtigen, strengen Denken als Phantasiegestalten erkannt, schwinden sie gleich Nebelschwaden vor der Kraft und Herrlichkeit der einen Sonne. Das ist das Los aller Abgötterei. Die Abgötterei der Redensarten, die Worte hypostasiert, die das Hypostasierte personifiziert, die im Personifizierten Himmlisches ‚apperzipiert' haben will, ist auch dem Lose der Phantome verfallen.

„Τεχνία, φυλάξατε ἑαυτοὺς ἀπὸ τῶν εἰδώλων." 1 Jo 5, 21.

CPSIA information can be obtained
at www.ICGtesting.com
Printed in the USA
BVHW040921141218
535629BV00022B/810/P

9 780484 937863